'사고력수학의 시작'

팡세

A1

1학년 | 패턴

사고가 자라는 수학
씨투엠

사고력 수학을 묻고
팡세가 답해요

Q: 사고력 수학은 '왜' 해야 하나요?

사고력 수학은 아이에게 낯선 문제를 접하게 함으로써 여러 가지 문제 해결 방법을 아이 스스로 생각하게 하는 것에 목적이 있어요. 정석적인 한 가지 풀이법만 알고 있는 아이는 결국 중등 이후에 나오는 응용 문제에 대한 해결력이 현저히 떨어지게 되지요. 반면 사고력 수학을 통해 여러 가지 풀이법을 스스로 생각하고 알아낸 경험이 있는 아이들은 한 번 막히는 문제도 다른 방법으로 뚫어낼 힘이 생기게 된답니다. 이러한 힘을 기르는 데 있어 사고력 수학이 가장 크게 도움이 된다고 확신해요.

Q: 사고력 수학이 '필수'인가요?

No but Yes! 초등 수학에서 가장 필수적인 것은 교과와 연산이지요. 또 중등에서의 서술형 평가를 대비하기 위한 서술형 학습과 어려운 중등 도형을 헤쳐나가기 위한 도형 학습 정도를 추가하면 돼요. 사고력 수학은 그 다음으로 중요하다고 할 수 있어요. 다만 만약 중등 이후에도 상위권을 꾸준하게 유지하겠다고 하시면 사고력 수학은 필수랍니다.

Q: 사고력 수학, 꼭 '어려운' 문제를 풀어야 하나요?

No! 기존의 사고력 수학 교재가 어려운 이유는 영재교육원 입시 때문이었어요. 상위권 중에서도 더 잘하는 아이, 즉 영재를 골라내는 시험에 사고력수학 문제가 단골로 출제되었고, 이에 대비하기 위해 만들어진 것이 초창기 사고력 수학 교재이지요. 하지만 모든 아이들이 영재일 수는 없고, 또 그래야할 필요도 없어요. 사고력 수학으로 영재를 확실하게 선별할 수 있는 것도 아니에요. 따라서 사고력 수학의 원래 목적, 즉 새로운 문제를 풀 수 있는 능력만 기를 수 있다면 난이도는 중요하지 않답니다. 오히려 어려운 문제는 수학에 대한 아이들의 자신감을 떨어뜨리는 부작용이 있다는 점! 반드시 기억해야 해요.

Q: 사고력 수학 학습에서 어떤 점에 '유의'해야 할까요?

가장 중요한 것은 아이가 스스로 방법을 생각할 수 있는 시간을 충분히 주는 거예요. 엄마나 선생님이 옆에서 방법을 바로 알려주거나 해답지를 줘버리면 사고력 수학의 효과는 없는 거나 마찬가지랍니다. 설령 문제를 못 풀더라도 아이가 스스로 고민하는 습관을 가지고, 방법을 찾아가는 시간을 늘리는 것이 아이의 문제해결력과 집중력을 기르는 방법이라고 꼭 새기며 아이가 스스로 발전할 수 있는 가능성을 믿어 보세요.

또 하나 더 강조하고 싶은 것은 문제의 답을 모두 맞힐 필요가 없다는 거예요. 사고력 수학 문제를 백점 맞는다고 해서 바로 성적이 쑥쑥 오르는 것이 아니에요. 사고력 수학은 훗날 아이가 더 어려운 문제를 풀기 위한 수학적 힘을 기르는 과정으로 봐야 하는 거지요. 그러니 아이가 하나 맞히고 틀리는 것에 일희일비하지 말고 우리 아이가 문제를 어떤 방법으로 풀려고 했고, 왜 어려워 하는지 표현하게 하는 것이 훨씬 중요하답니다. 사고력 수학은 문제의 결과인 답보다 답을 찾아가는 과정 그 자체에 의미가 있다는 사실을 꼭! 꼭! 기억해 주세요.

팡세의 구성과 특징

1. 패턴, 퍼즐과 전략, 유추, 카운팅 - 새로운 시대에 맞는 새로운 사고력 영역!

2. 아이가 혼자서도 술술 풀어나가며 자신감을 기르기에 딱 좋은 난이도!

3. 하루 10분 1장만 풀어도 초등에서 꼭 키워야 하는 사고력을 쑥쑥!

일일 소주제 학습

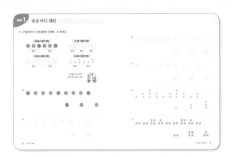

하루에 10분씩 매일 1장씩만 꾸준히 풀면 돼.

주차별 확인학습

5일 동안 배운 것 중 가장 중요한 문제를 복습하는 거야!

월간 마무리 평가

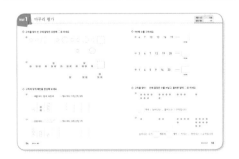

4주 동안 공부한 내용 중 어디가 부족한지 알 수 있다. 삐리삐리~

이 책의 차례

A1

pensées

여러 가지 패턴

✏️ 규칙을 찾아 빈 곳에 알맞은 모양에 ◯표 하세요.

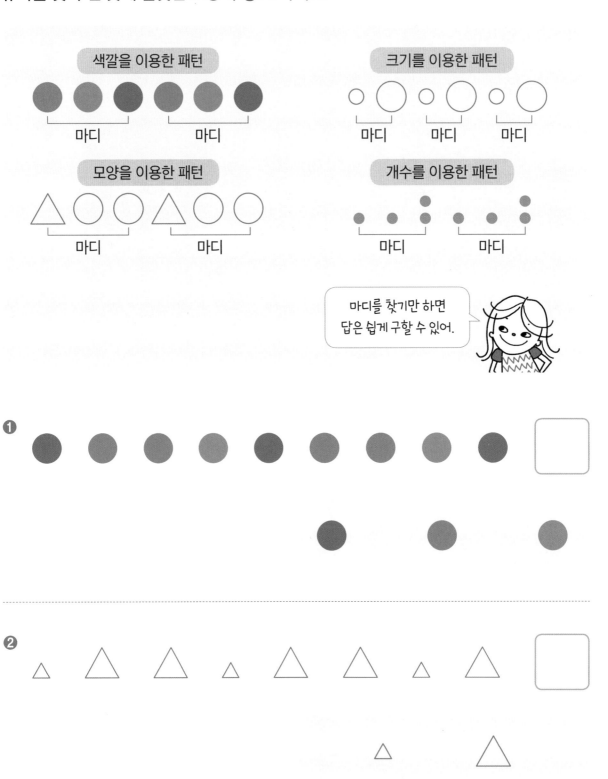

색깔을 이용한 패턴

마디   마디

크기를 이용한 패턴

마디   마디   마디

모양을 이용한 패턴

마디   마디

개수를 이용한 패턴

마디   마디

마디를 찾기만 하면 답은 쉽게 구할 수 있어.

❶

❷

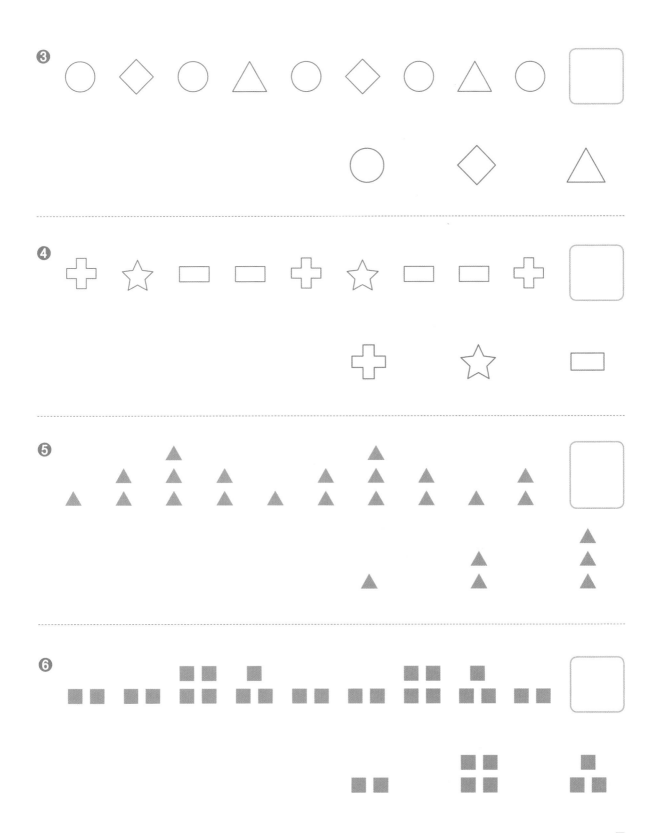

✏️ 왼쪽 패턴에 이어서 올 수 있는 것을 찾아 선으로 이으세요.

❶

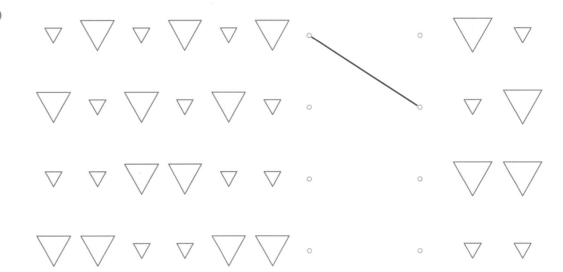

❷

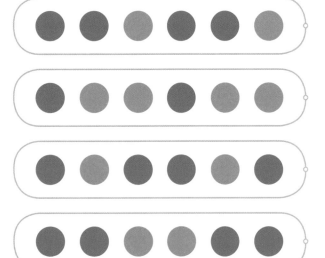

③

○○□□△△○○ ∘ ∘ △○□△

○□△○□△○□ ∘ ∘ ○□○△

○□○△○□○△ ∘ ∘ ○□△□

○□△□○□△□ ∘ ∘ □□△△

④

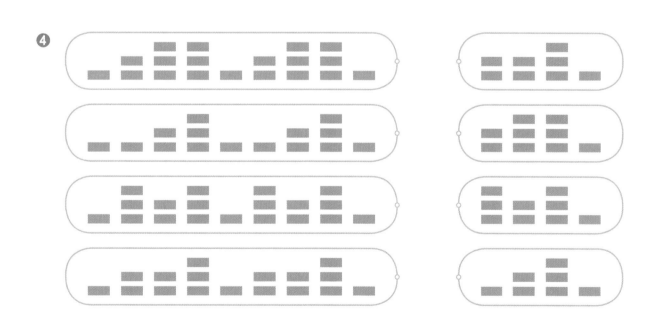

✏️ 규칙을 찾아 마지막 모양에 알맞은 기호를 써넣으세요.

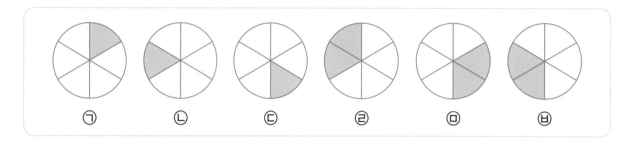

①

②

③

④

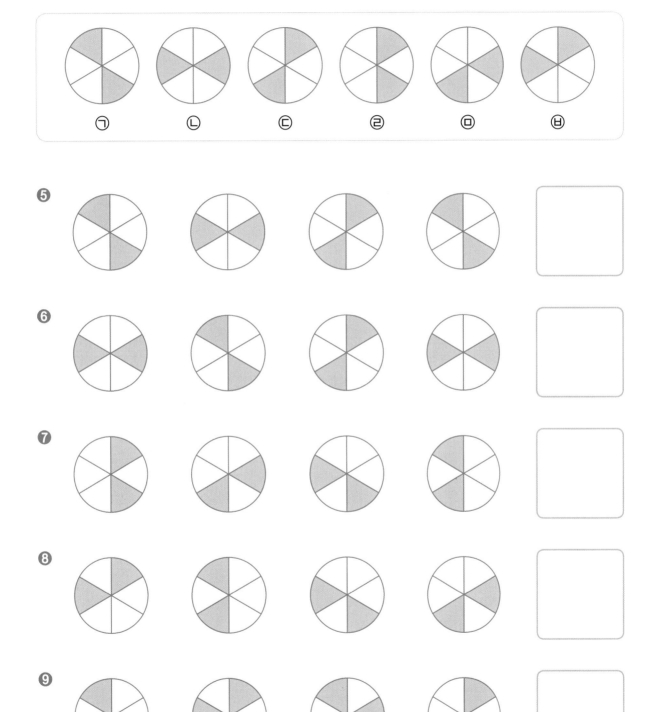

반전 패턴

✏️ 바로 앞의 모양과 색을 반전한 모양이 반복되도록 빈 곳에 알맞게 색칠하세요.

바로 앞의 모양에서 색칠된 부분은 색을 지우고,
색칠되지 않은 부분은 색칠합니다.

색, 위치, 방향 등이
반대로 되는 것을
반전이라고 해.

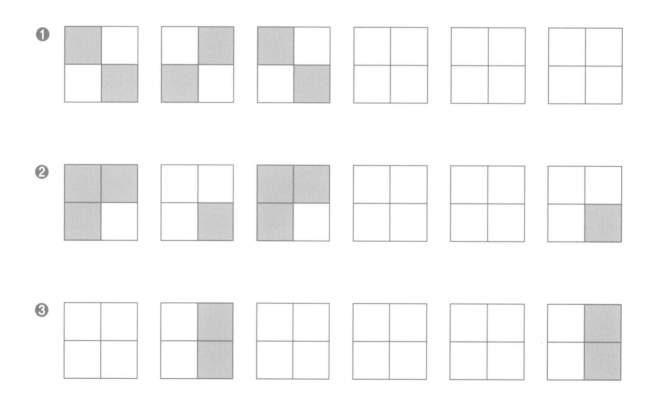

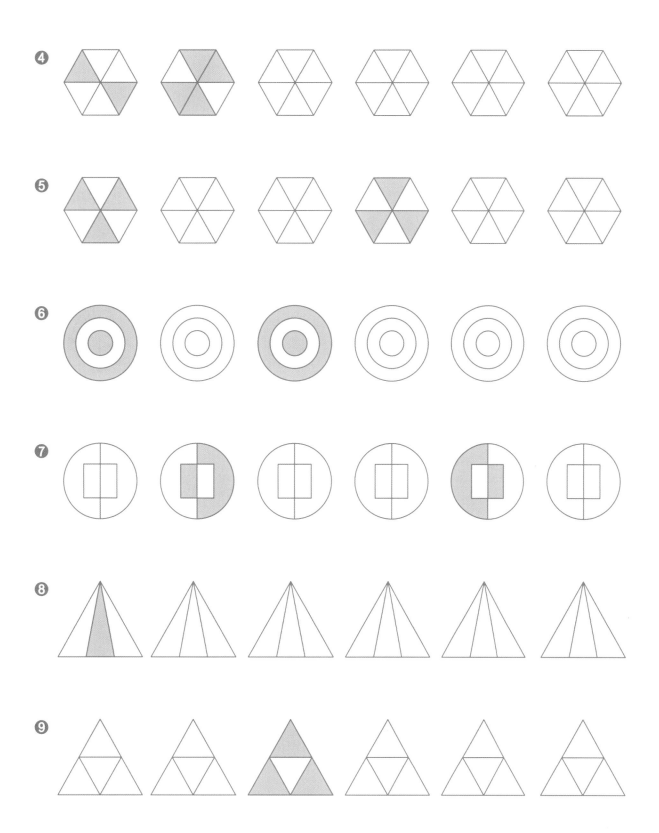

패턴 미로

✏️ 가장 빠른 길 미로를 통과하고, 미로를 따라가면서 나오는 패턴의 마디에 ○표 하세요.

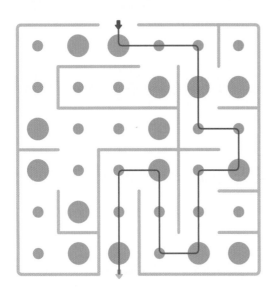

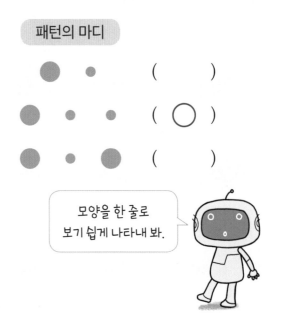

패턴의 마디

( )

(◯)

( )

모양을 한 줄로
보기 쉽게 나타내 봐.

❶

패턴의 마디

( )

( )

( )

❷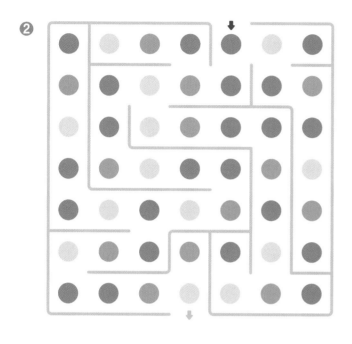

패턴의 마디

(   )

(   )

(   )

❸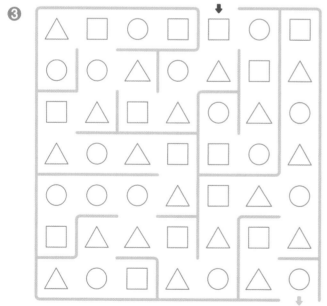

패턴의 마디

(   )

(   )

(   )

확인학습

✏️ 왼쪽 패턴에 이어서 올 수 있는 것을 찾아 선으로 이으세요.

❶

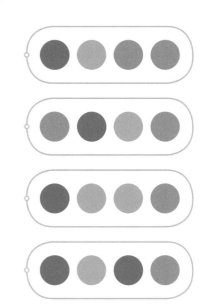

✏️ 가장 빠른 길 미로를 통과하고, 미로를 따라가면서 나오는 패턴의 마디에 ◯표 하세요.

❷

패턴의 마디

△ □ ◯　　（　　）

△ □ ◯ ◯　　（　　）

△ □ ◯ □　　（　　）

2
주차

이중 패턴

✏️ 두 가지 규칙이 섞여 있는 패턴을 이중 패턴이라고 합니다. 패턴의 마디를 쓰세요.

작은 것, 큰 것이 반복됩니다.

초록색, 파란색, 보라색이 반복됩니다.

> 크기에 대한 규칙,
> 색깔에 대한 규칙을
> 따로 생각해야 해.

색깔 마디: 초록색, 파란색, 보라색

크기 마디: 작은 것, 큰 것

❶

색깔 마디: _____ , 크기 마디: _____

❷

색깔 마디: _____ , 모양 마디: _____

❸

색깔 마디: _____ , 모양 마디: _____

❹

색깔 마디: _____ , 개수 마디: _____

❺

모양 마디: _____ , 개수 마디: _____

❻

모양 마디: _____ , 개수 마디: _____

모양과 색깔, 크기와 색깔

✏️ 규칙을 찾아 빈 곳에 알맞은 모양에 ◯표 하세요.

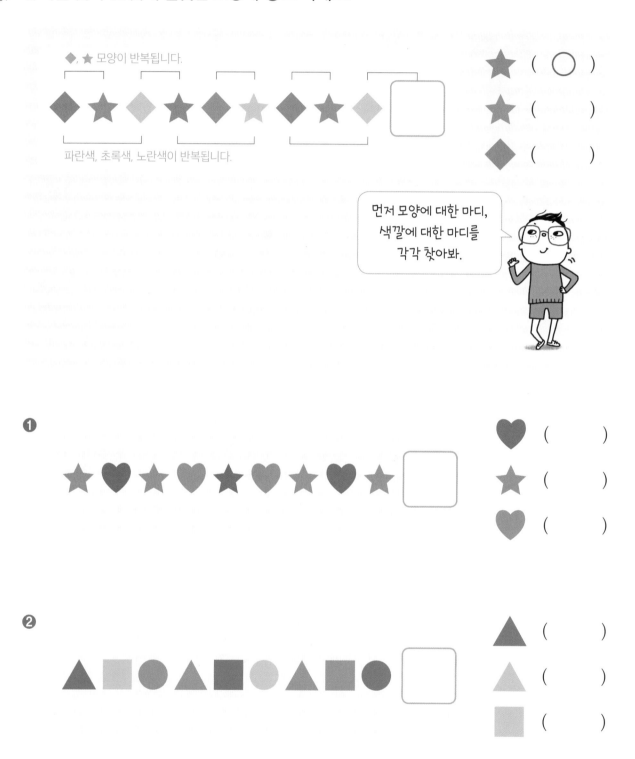

❶

❷

❸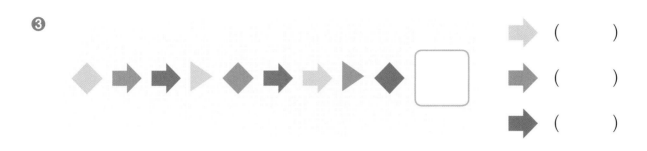

➡ ( )

➡ ( )

➡ ( )

❹

■ ( )

■ ( )

■ ( )

❺

✚ ( )

✚ ( )

✚ ( )

❻

● ( )

● ( )

● ( )

✏️ 규칙에 맞게 패턴을 완성해 보세요.

모양 마디: ○, △, ☆
개수 마디: **1**개, **2**개

모양을 한 개씩만 그려 본 후,
개수 규칙에 맞게
더 그려 보는 것은 어떨까?

❶ 모양 마디: □, ▷
개수 마디: **1**개, **2**개, **2**개

❷ 모양 마디: ☆, △
개수 마디: **3**개, **2**개, **1**개

☆
☆ △
☆ △ ☆

❸
모양 마디: ◎, ◇, ▽, ▽
개수 마디: **1**개, **2**개, **3**개

❹
색깔 마디: 흰색, 보라색
개수 마디: **3**개, **2**개, **1**개

❺
색깔 마디: 보라색, 보라색, 흰색, 흰색
개수 마디: **1**개, **1**개, **2**개

❻
색깔 마디: 흰색, 보라색, 흰색
개수 마디: **1**개, **2**개, **1**개, **3**개

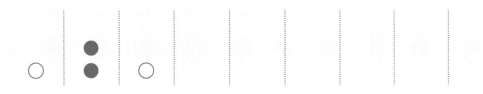

패턴 만들기

✏️ 규칙에 맞게 패턴을 만들어 보세요.

> • 크기는 큰 것, 작은 것이 반복됩니다.
> • 색깔은 흰색, 보라색, 보라색이 반복됩니다.

> 모양을 기준으로 먼저 패턴을 그려 보자.

❶

> • 크기는 작은 것, 큰 것, 큰 것이 반복됩니다.
> • 색깔은 보라색, 흰색이 반복됩니다.

❷

> • 모양은 △, ◇, ○ 모양이 반복됩니다.
> • 색깔은 흰색, 보라색이 반복됩니다.

❸
- 색깔은 보라색, 흰색, 흰색이 반복됩니다.
- 개수는 **1**개, **2**개가 반복됩니다.

❹
- 모양은 ▽, △ 모양이 반복됩니다.
- 개수는 **1**개, **2**개, **3**개가 반복됩니다.

❺
- 모양은 ○, △, ○, □ 모양이 반복됩니다.
- 개수는 **1**개, **2**개가 반복됩니다.

❻
- 모양은 ☆, ○ 모양이 반복됩니다.
- 크기는 작은 것, 작은 것, 큰 것이 반복됩니다.

빈칸 채우기

✏️ 규칙을 찾아 빈 곳에 알맞은 모양에 ○표 하세요.

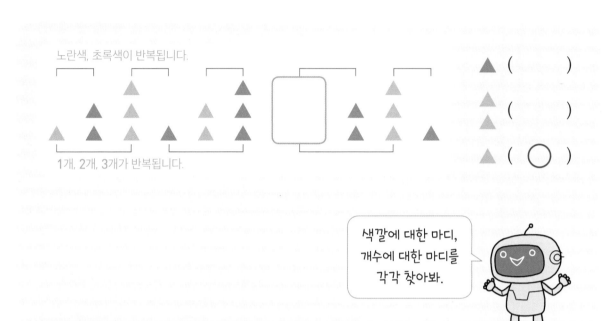

노란색, 초록색이 반복됩니다.

1개, 2개, 3개가 반복됩니다.

▲ (　　)

▲ (　　)

▲ (　　)

▲ (○)

색깔에 대한 마디,
개수에 대한 마디를
각각 찾아봐.

❶

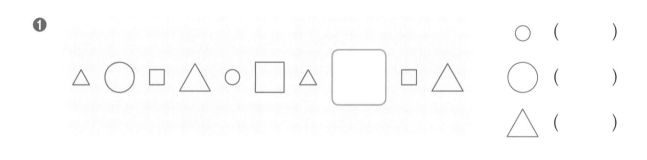

○ (　　)

◯ (　　)

△ (　　)

❷

★ (　　)

★ (　　)

● (　　)

③

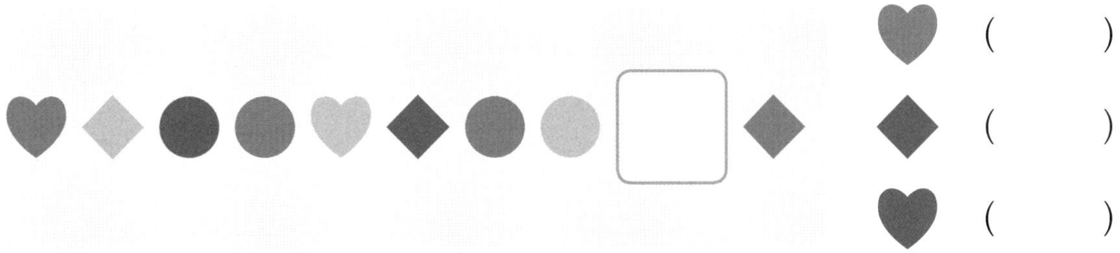

❤️ ( )

◆ ( )

❤️ ( )

④

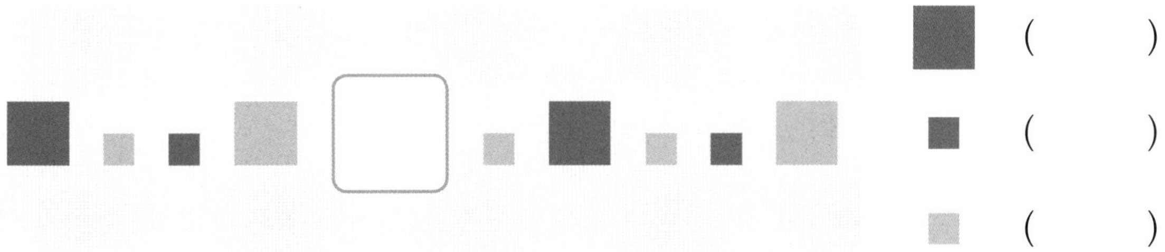

■ ( )

■ ( )

■ ( )

⑤

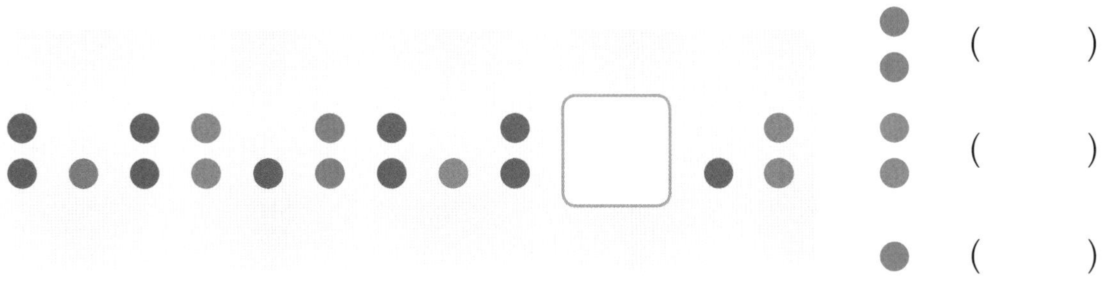

●
● ( )

●
● ( )

● ( )

⑥

△ ( )

□ ( )

△
△ ( )

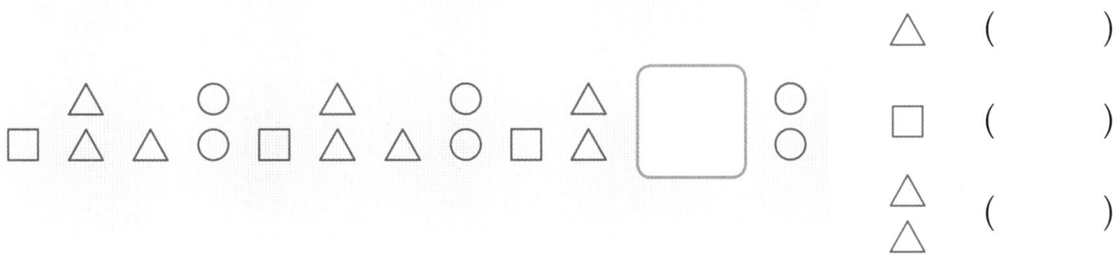

✏️ 규칙에 맞게 패턴을 만들어 보세요.

❶

> • 모양은 △, □, ○ 모양이 반복됩니다.
> • 크기는 작은 것, 큰 것이 반복됩니다.

△

❷

> • 색깔은 보라색, 보라색, 흰색이 반복됩니다.
> • 개수는 2개, 1개가 반복됩니다.

✏️ 규칙을 찾아 빈 곳에 알맞은 모양에 ○표 하세요.

❸

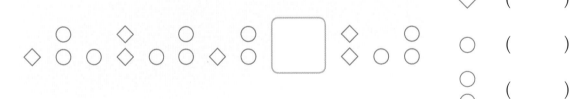

◇ ( )

○ ( )

○○ ( )

❹

▲ ( )

▲ ( )

★ ( )

3 주차

여러 가지 수열

✏️ ☐ 안에 알맞은 수를 써넣고, 올바른 것에 ◯표 하세요.

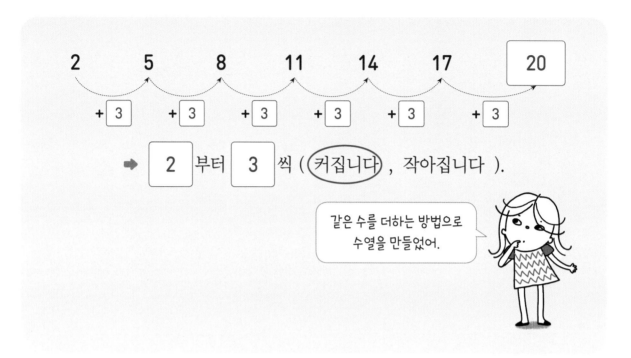

➡️ ☐ 2 부터 ☐ 3 씩 ((커집니다) , 작아집니다).

> 같은 수를 더하는 방법으로
> 수열을 만들었어.

❶

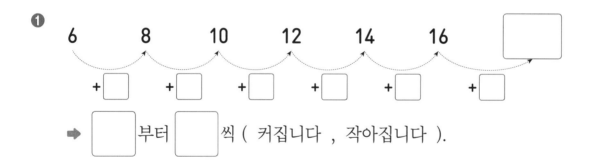

➡️ ☐ 부터 ☐ 씩 (커집니다 , 작아집니다).

❷

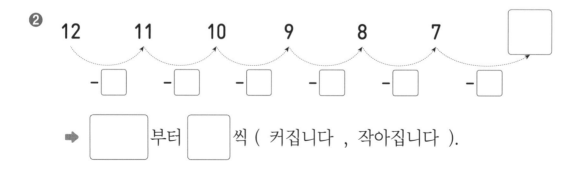

➡️ ☐ 부터 ☐ 씩 (커집니다 , 작아집니다).

❸

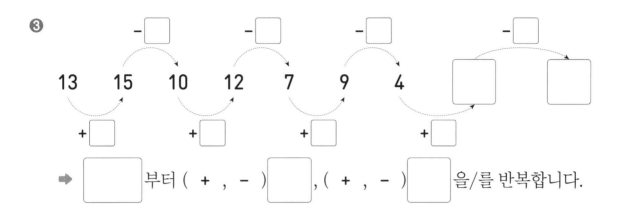

13　15　10　12　7　9　4

➡ ◻ 부터 (+ , −) ◻ , (+ , −) ◻ 을/를 반복합니다.

❹

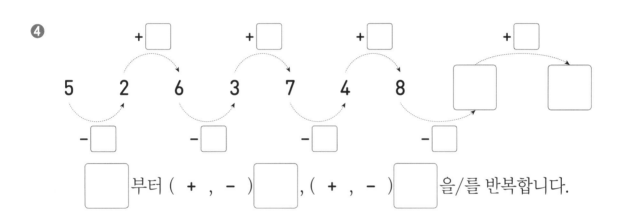

5　2　6　3　7　4　8

◻ 부터 (+ , −) ◻ , (+ , −) ◻ 을/를 반복합니다.

❺

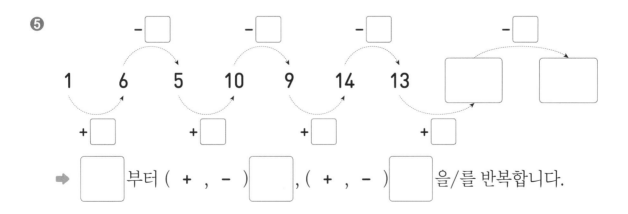

1　6　5　10　9　14　13

➡ ◻ 부터 (+ , −) ◻ , (+ , −) ◻ 을/를 반복합니다.

더하는 수가 커지는 수열

✏️ ☐ 안에 알맞은 수를 써넣으세요.

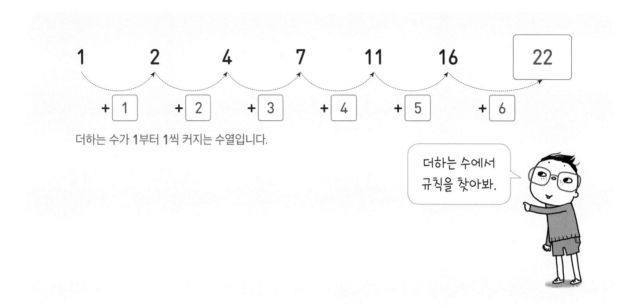

더하는 수가 1부터 1씩 커지는 수열입니다.

더하는 수에서 규칙을 찾아봐.

①

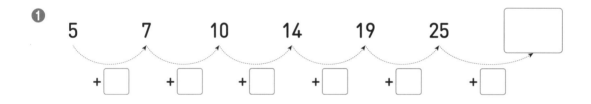

②

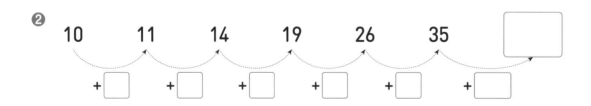

③

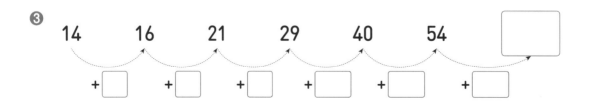

❹ 25   24   22   19   15   10   ☐
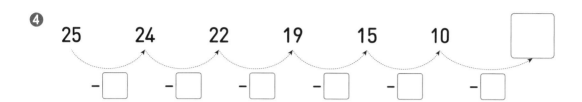

❺ 60   58   54   48   40   30   ☐
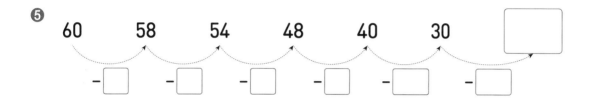

❻ 75   71   64   54   41   25   ☐
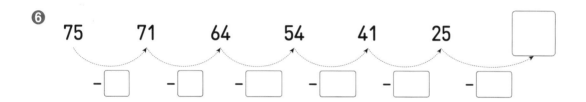

❼ 8   14   19   23   26   28   ☐
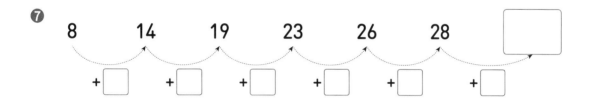

❽ 2   16   28   38   46   52   ☐
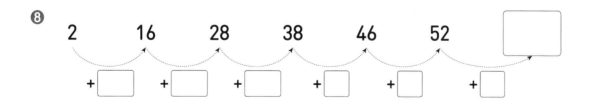

❾ 30   23   17   12   8   5   ☐
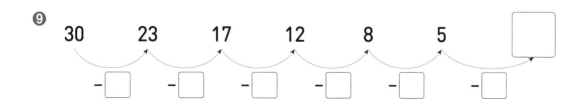

✏️ 규칙에 맞게 수열을 만들어 보세요.

규칙: 5부터 2씩 커집니다.

| 5 | 7 | 9 | 11 | 13 | 15 | 17 |

+2 +2 +2 +2 +2 +2

바로 앞의 수에 2를
더해 가며 빈칸을 채워 봐.

① 규칙: 1, 4, 8이 반복됩니다.

| 1 | | | | | | |

② 규칙: 10부터 3씩 커집니다.

| 10 | | | | | | |

③ 규칙: 20부터 2씩 작아집니다.

| 20 | | | | | | |

❹ 규칙: 3부터 **+4, -1**을 반복합니다.

| 3 | | | | | | |

❺ 규칙: 7부터 더하는 수 **1, 3**이 반복됩니다.

| 7 | | | | | | |

❻ 규칙: **2**부터 시작하고, 더하는 수가 **3**부터 **1**씩 커집니다.

| 2 | 5 | | | | | |

❼ 규칙: **50**부터 시작하고, 빼는 수가 **1**부터 **2**씩 커집니다.

| 50 | 49 | | | | | |

❽ 규칙: 첫 번째 수는 **1**, 두 번째 수도 **1**이고,
　　　세 번째 수부터는 바로 앞 두 수의 합입니다.

| 1 | 1 | 2 | | | | |

✏️ ☐ 안에 알맞은 수를 써넣으세요.

① 마디가 반복되는 수열:

1   2   1   2   1   2

➡ 1, 2가 반복됩니다.

② 일정하게 커지거나 작아지는 수열

1   3   5   7   9   11   13

➡ 1부터 2씩 커집니다.

③ 더하는 수가 커지거나 작아지는 수열

2   4   7   11   16   22   29

➡ 더하는 수가 2부터 1씩 커집니다.

④ 바로 앞 두 수의 합이 다음 수가 되는 수열

1   1   2   3   5   8   13

➡ 1+1=2, 1+2=3, 2+3=5 ······

바로 앞의 두 수의 합이 다음 수가 되는 수열을 피보나치 수열이라고 해.

❶ 4   1   7   4   1   ☐   4   1   7

❷ 5   8   11   14   ☐   20   23   26

❸ 42   38   ☐   30   26   22   18   14

❹ 3 4 7 8 11 12 [ ] 16

❺ 2 3 6 11 18 [ ] 38 51

❻ 70 68 64 58 [ ] 40 28 14

❼ 4 13 21 28 34 39 [ ] 46

❽ 1 4 5 9 14 23 [ ] 60

❾ 2 5 7 12 19 [ ] 50 81

9번째 수 구하기

✎ 9번째 수를 구하세요.

30　　28　　26　　24　　22　　20 ······ | 14 |

9번째

30부터 2씩 작아집니다.
30, 28, 26, 24, 22, 20, 18, 16, 14이므로 9번째 수는 14입니다.

> 먼저 규칙을 찾고, 규칙에
> 맞게 수열을 더 적어 봐.

❶ 3　　3　　9　　3　　3　　9 ······ | |

9번째

❷ 2　　6　　10　　14　　18　　22 ······ | |

9번째

❸ 40　　37　　34　　31　　28　　25 ······ | |

9번째

❹   5   11   10   16   15   21   ⋯⋯ □

9번째

❺   2   5   10   17   26   37   ⋯⋯ □

9번째

❻   3   14   24   33   41   48   ⋯⋯ □

9번째

❼   90   77   65   54   44   35   ⋯⋯ □

9번째

❽   2   2   4   6   10   16   ⋯⋯ □

9번째

❾   2   3   5   8   13   21   ⋯⋯ □

9번째

✎ ☐ 안에 알맞은 수를 써넣으세요.

❶ 2　5　8　2　5　8　☐　5　8

❷ 1　5　9　13　☐　21　25　29　33

❸ 4　5　8　13　20　☐　40　53　68

❹ 1　2　3　5　8　13　21　☐　55

✎ 9번째 수를 구하세요.

❺ 40　38　36　34　32　30　……　☐
9번째

❻ 8　12　11　15　14　18　……　☐
9번째

❼ 70　69　67　64　60　55　……　☐
9번째

✏️ 규칙을 찾아 ☐ 안에 알맞은 수를 써넣고, 올바른 말에 ◯표 하세요.

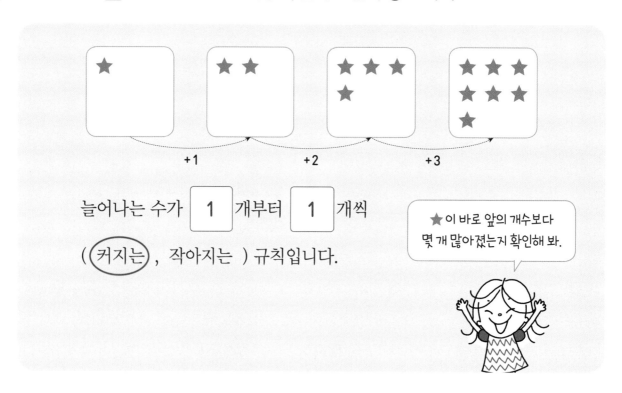

늘어나는 수가 ☐1☐ 개부터 ☐1☐ 개씩

((커지는) , 작아지는) 규칙입니다.

★이 바로 앞의 개수보다 몇 개 많아졌는지 확인해 봐.

❶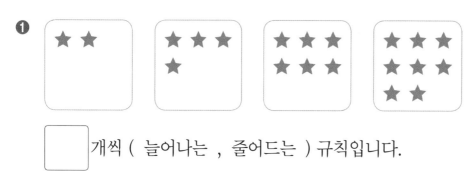

☐ 개씩 (늘어나는 , 줄어드는) 규칙입니다.

❷

☐ 개씩 (늘어나는 , 줄어드는) 규칙입니다.

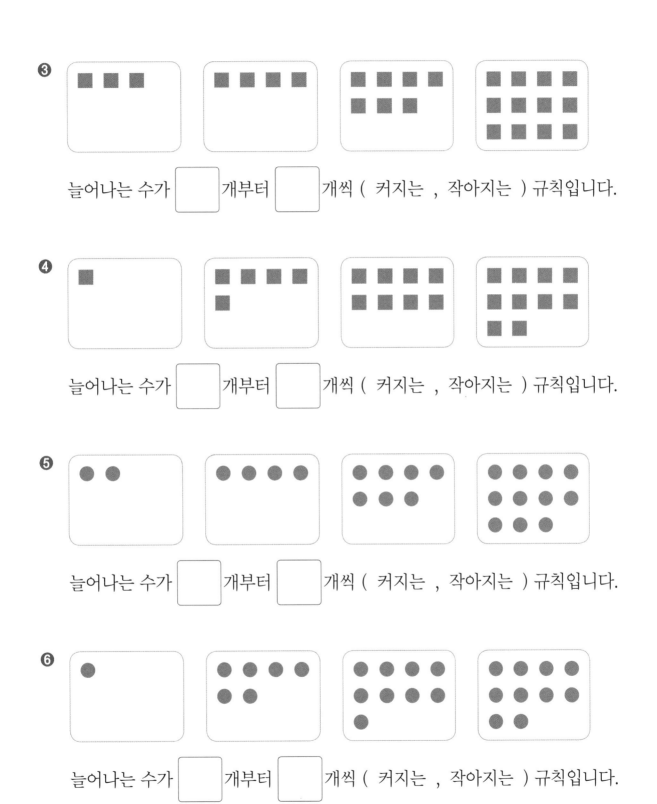

❸ 늘어나는 수가 ☐ 개부터 ☐ 개씩 (커지는 , 작아지는) 규칙입니다.

❹ 늘어나는 수가 ☐ 개부터 ☐ 개씩 (커지는 , 작아지는) 규칙입니다.

❺ 늘어나는 수가 ☐ 개부터 ☐ 개씩 (커지는 , 작아지는) 규칙입니다.

❻ 늘어나는 수가 ☐ 개부터 ☐ 개씩 (커지는 , 작아지는) 규칙입니다.

구슬의 개수

✏️ 규칙을 찾아 ☐ 안에 알맞은 구슬의 개수를 쓰세요.

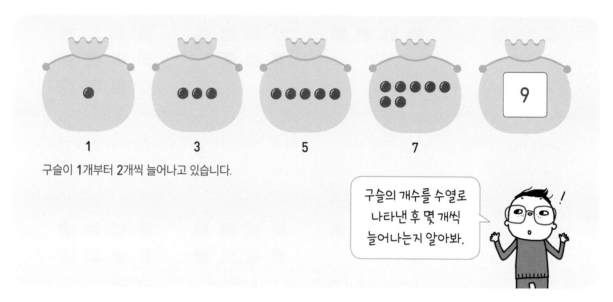

구슬이 1개부터 2개씩 늘어나고 있습니다.

구슬의 개수를 수열로
나타낸 후 몇 개씩
늘어나는지 알아봐.

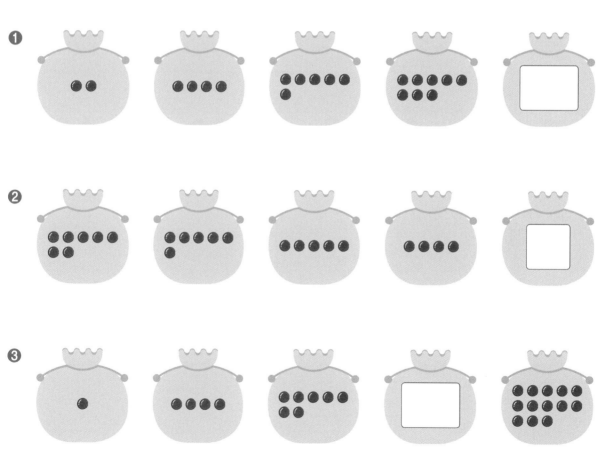

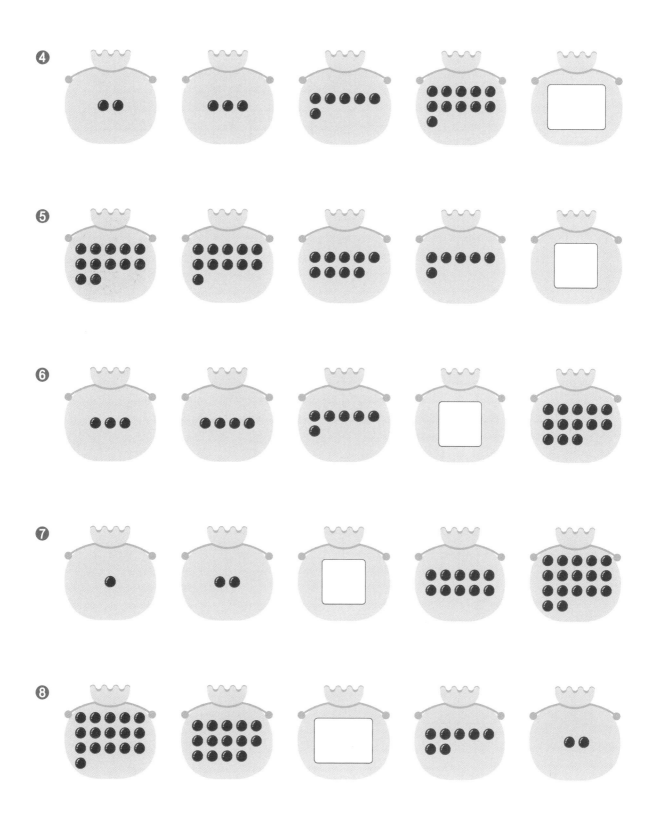

✏️ 규칙을 찾아 빈칸에 알맞게 색칠해 보세요.

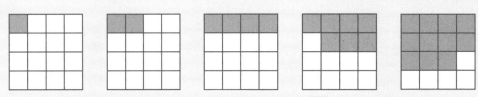

바로 앞의 색칠한 칸의 개수에서 **1칸, 2칸, 3칸, 4칸**씩 늘어나도록 └→ 방향으로 색칠합니다.

색칠하는 방향도
생각해야 해.

❶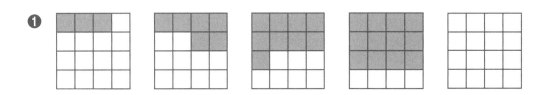

❷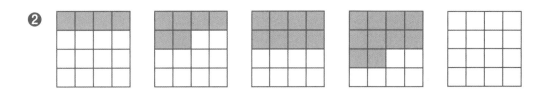

❸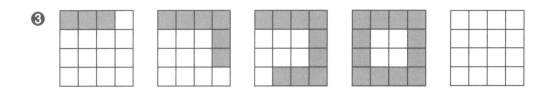

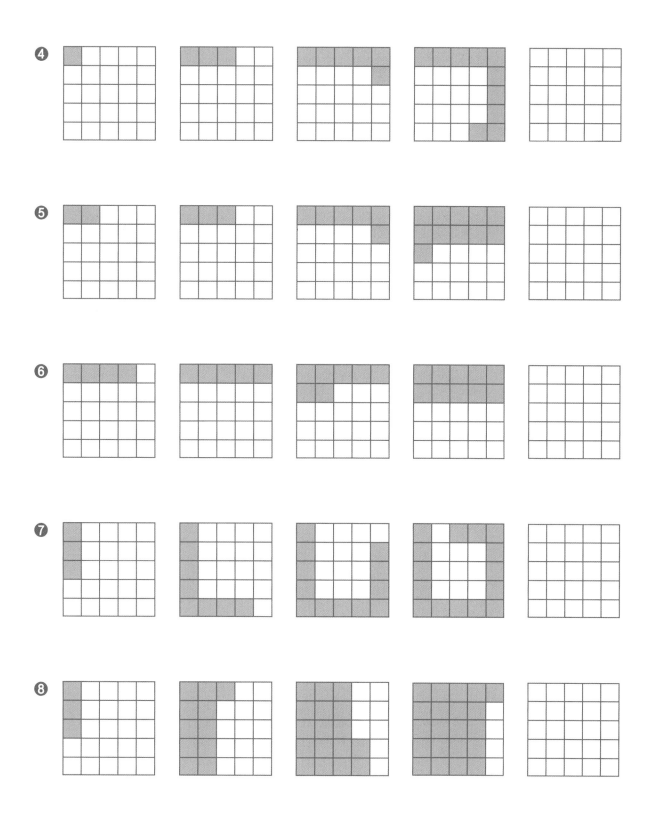

✎ 규칙을 찾아 **7번째** 구슬의 개수를 구하세요.

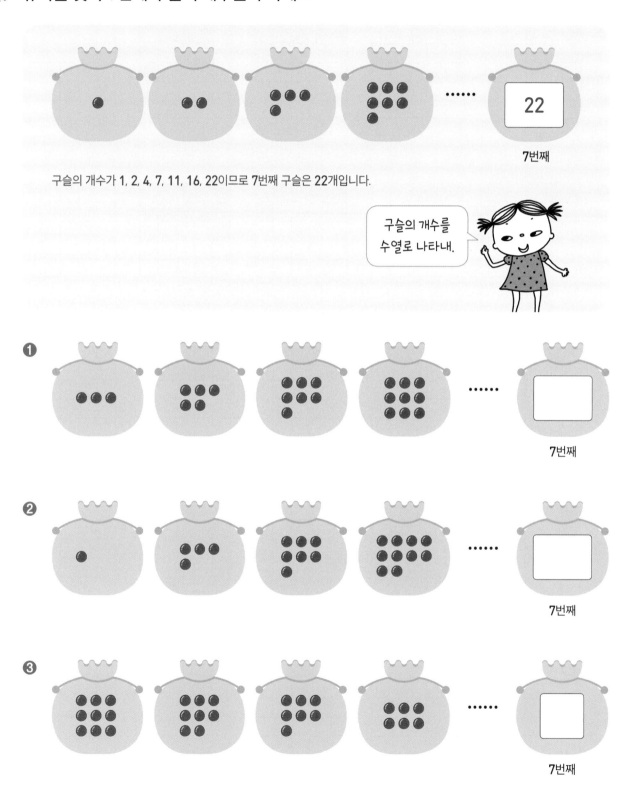

구슬의 개수가 **1, 2, 4, 7, 11, 16, 22**이므로 **7번째** 구슬은 **22**개입니다.

구슬의 개수를
수열로 나타내.

❶ 7번째

❷ 7번째

❸ 7번째

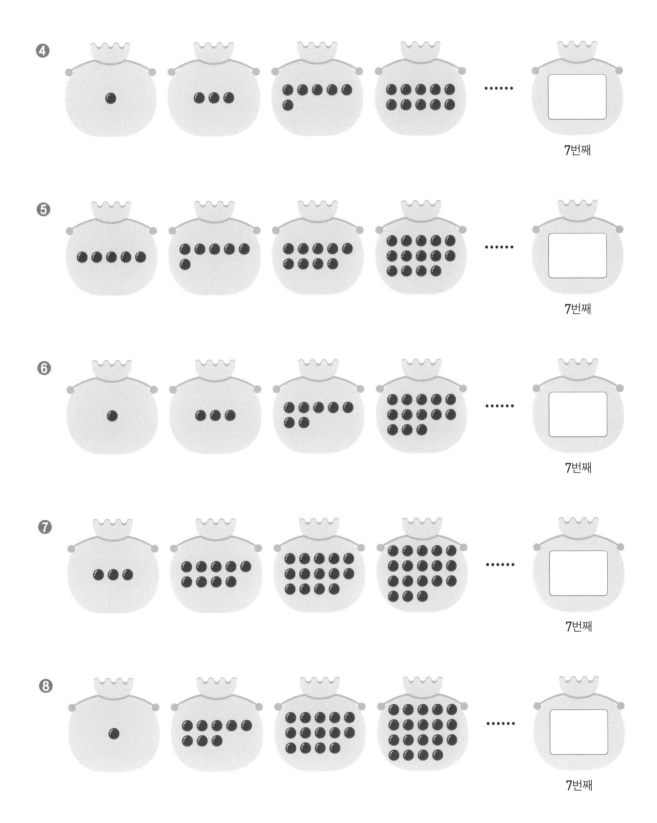

두 가지 모양

✏️ 규칙을 찾아 5번째에 알맞은 모양의 개수를 각각 쓰세요.

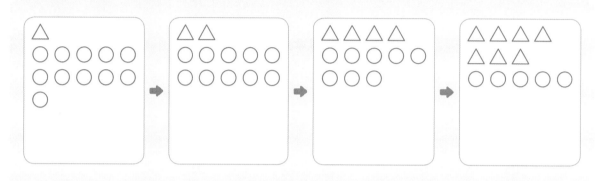

△: 11 , ○: 1

두 모양의 개수의 합은 **12**입니다.
△이 늘어나는 수는 **1**개부터 **1**개씩 커지는 규칙입니다.
○이 줄어드는 수는 **1**개부터 **1**개씩 작아지는 규칙입니다.

모양이 놓인 위치는
생각하지 말고,
개수만 생각해.

❶

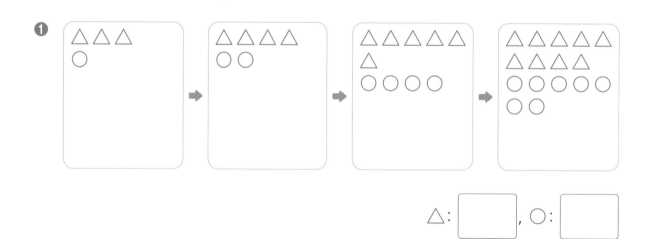

△: ⬜ , ○: ⬜

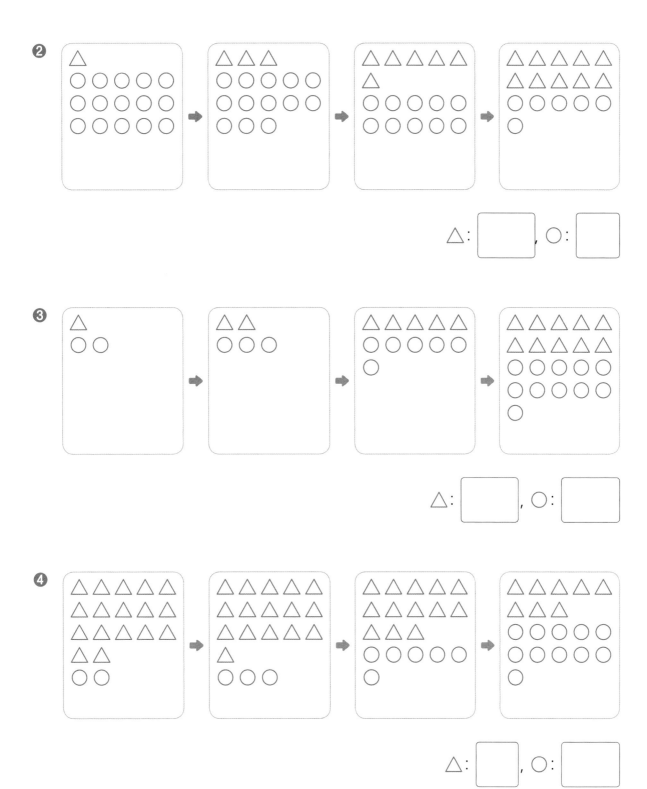

✏️ 규칙을 찾아 빈칸에 알맞게 색칠해 보세요.

❶
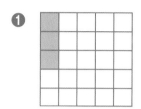 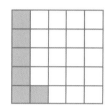 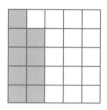 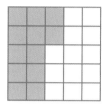 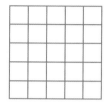

❷
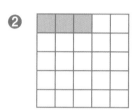 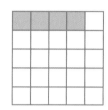 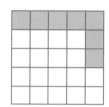 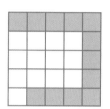 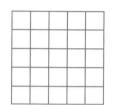

✏️ 규칙을 찾아 7번째 구슬의 개수를 구하세요.

❸

7번째

❹

7번째

❺
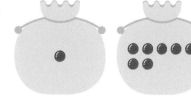 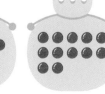  

7번째

마무리 평가

마무리 평가는 앞에서 공부한 4주차의 유형이 다음과 같은 순서로 나와요.
틀린 문제는 몇 주차인지 확인하여 반드시 다시 한 번 학습하도록 해요.

1주차	**3**주차
2주차	**4**주차

✚ 규칙을 찾아 빈 곳에 알맞은 모양에 ◯표 하세요.

❶

❷

✚ 규칙에 맞게 패턴을 완성해 보세요.

❸

| • 색깔 마디: 흰색, 파란색 | • 개수 마디: **1**개, **2**개, **3**개 |

❹

| • 모양 마디: ◯, ▢, ▢, ▽ | • 개수 마디: **3**개, **2**개, **1**개 |

✿ 9번째 수를 구하세요.

⑤ 4   7   10   13   16   19   ······ [ ]
9번째

⑥ 3   4   7   12   19   28   ······ [ ]
9번째

⑦ 1   4   5   9   14   23   ······ [ ]
9번째

✿ 규칙을 찾아 ☐ 안에 알맞은 수를 써넣고, 올바른 말에 ○표 하세요.

⑧

[ ]개씩 (늘어나는 , 줄어드는) 규칙입니다.

⑨

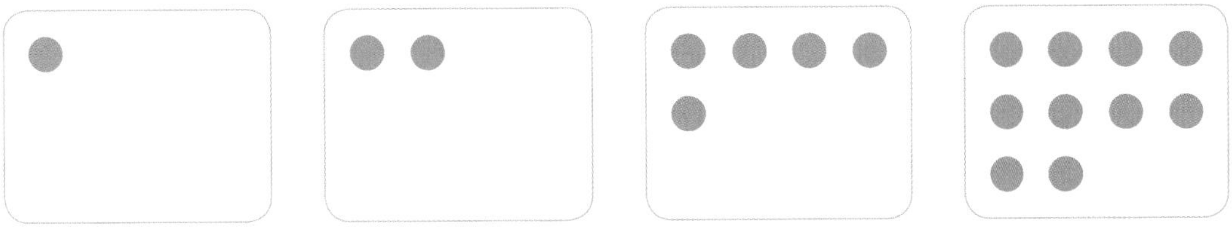

늘어나는 수가 [ ]개부터 [ ]개씩 (커지는 , 작아지는) 규칙입니다.

✤ 왼쪽 패턴에 이어서 올 수 있는 것을 찾아 선으로 이으세요.

❶

✤ 규칙에 맞게 패턴을 만들어 보세요.

❷

• 색깔은 흰색, 흰색, 파란색이 반복됩니다.
• 크기는 작은 것, 큰 것이 반복됩니다.

△

❸

• 색깔은 파란색, 파란색, 흰색이 반복됩니다.
• 개수는 2개, 2개, 1개, 1개가 반복됩니다.

✿ ☐ 안에 알맞은 수를 써넣으세요.

④ 10 13 16 ☐ 22 25 28 31 34

⑤ 1 3 7 13 21 ☐ 43 57 73

⑥ 45 44 42 39 35 30 ☐ 17 9

⑦ 3 4 7 11 18 ☐ 47 76

✿ 규칙을 찾아 ☐ 안에 알맞은 구슬의 개수를 쓰세요.

✛ 규칙을 찾아 마지막 모양에 알맞은 기호를 써넣으세요.

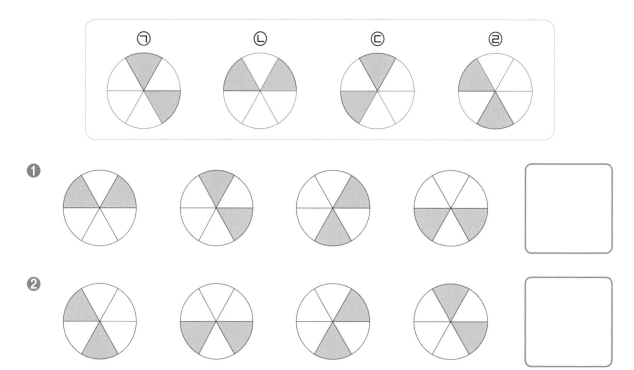

✛ 규칙을 찾아 빈 곳에 알맞은 모양에 ◯표 하세요.

❸

(   )

(   )

(   )

❹

(   )

(   )

(   )

✛ ☐ 안에 알맞은 수를 써넣고, 올바른 말에 ◯표 하세요.

❺
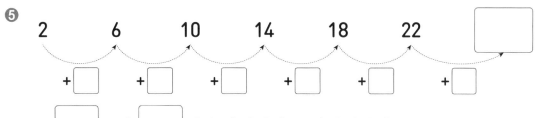

➡ ☐ 부터 ☐ 씩 (커집니다 , 작아집니다).

❻
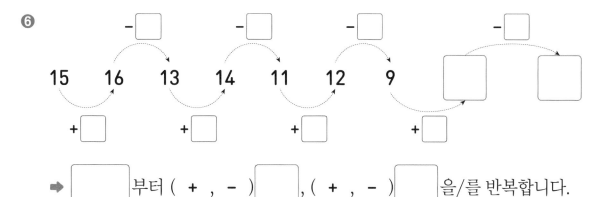

➡ ☐ 부터 (+ , −) ☐ , (+ , −) ☐ 을/를 반복합니다.

✛ 규칙을 찾아 빈칸에 알맞게 색칠해 보세요.

❼
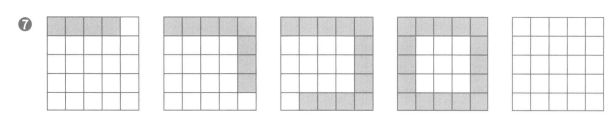

❽
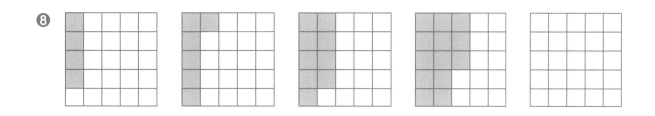

✿ 바로 앞의 모양과 색을 반전한 모양이 반복되도록 빈 곳을 알맞게 색칠하세요.

❶

❷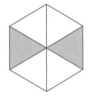

❸

✿ 다음은 이중 패턴입니다. 패턴의 마디를 쓰세요.

❹

색깔 마디: _____ , 크기 마디: _____

❺

모양 마디: _____ , 개수 마디: _____

❖ 규칙에 맞게 수열을 만들어 보세요.

⑥

규칙: 4부터 5씩 커집니다.

| 4 | | | | | | |

⑦

규칙: 6부터 더하는 수 2, 4가 반복됩니다.

| 6 | | | | | |

⑧

규칙: 첫 번째 수는 2, 두 번째 수는 3이고, 세 번째 수부터는
바로 앞의 두 수의 합입니다.

| 2 | 3 | 5 | | | | |

❖ 규칙을 찾아 5번째에 알맞은 모양의 개수를 각각 쓰세요.

⑨

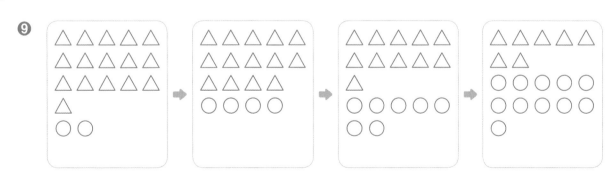

△: [ ] , ○: [ ]

✤ 가장 빠른 길로 미로를 통과하고, 미로를 따라가면서 나오는 패턴의 마디에 ○표 하세요.

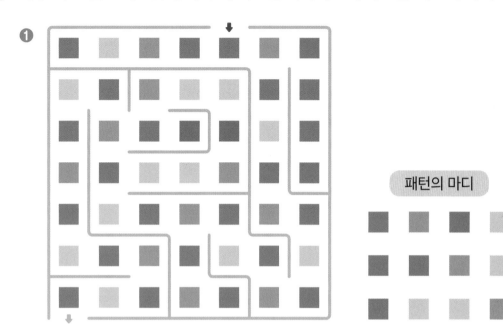

패턴의 마디

(   )

(   )

(   )

✤ 규칙을 찾아 빈 곳에 알맞은 모양에 ○표 하세요.

❷

(   )

(   )

(   )

❸

(   )

(   )

(   )

✿ ☐ 안에 알맞은 수를 써넣으세요.

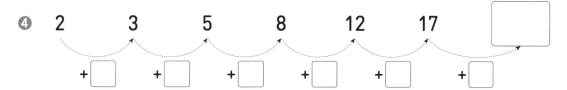

④ 2   3   5   8   12   17   ☐

+☐ +☐ +☐ +☐ +☐ +☐

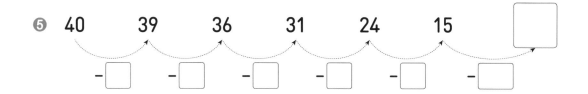

⑤ 40   39   36   31   24   15   ☐

−☐ −☐ −☐ −☐ −☐ −☐

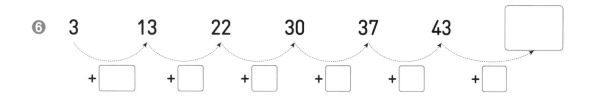

⑥ 3   13   22   30   37   43   ☐

+☐ +☐ +☐ +☐ +☐ +☐

✿ 규칙을 찾아 7번째 구슬의 개수를 구하세요.

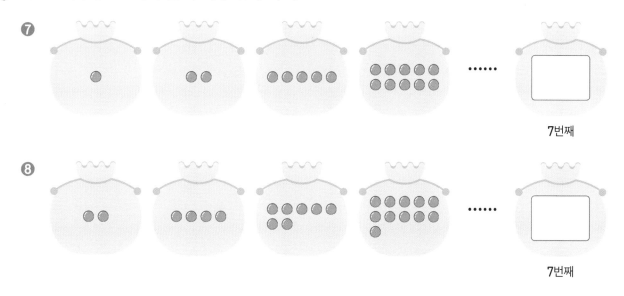

⑦ ······ ☐

7번째

⑧ ······ ☐

7번째

pensées

네이버 공식 지원 카페 필즈엠

씨투엠에듀 공식 인스타그램

C2MEDU_OFFICIAL

'사고력수학의 시작'

팩토

A1
정답과 풀이

DAY 1

속성 마디 패턴

✎ 규칙을 찾아 빈 곳에 알맞은 모양에 ○표 하세요.

크기를 이용한 패턴 ├─ 마디 ─┤
개수를 이용한 패턴 ├─ 마디 ─┤

색깔을 이용한 패턴 ├─ 마디 ─┤
모양을 이용한 패턴 ├─ 마디 ─┤

마디를 찾기만 하면 다음 칸은 쉽게 구할 수 있어.

❶

❷

❸

❹

❺

❻

pensées

DAY 2

패턴 꼬리 잇기

✐ 왼쪽 패턴에 이어서 올 수 있는 것을 찾아 선으로 이으세요.

❶

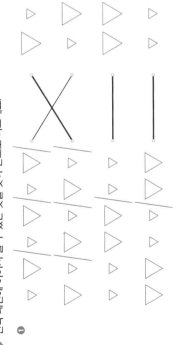

❷

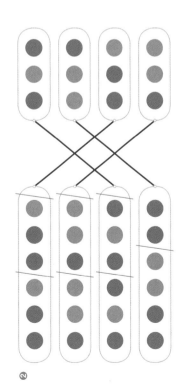

❸

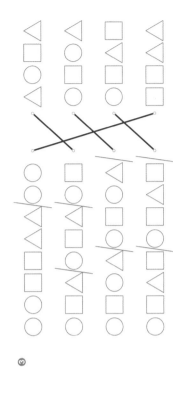

❹

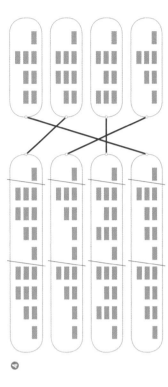

pensées

1주차 여러 가지 패턴

DAY 3

회전 패턴

✏️ 규칙을 찾아 마지막 모양에 알맞은 기호를 써넣으세요.

pensées

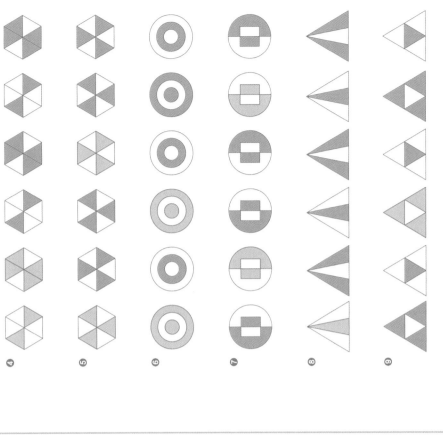

DAY 4 반전 패턴

✎ 바로 앞의 모양과 색을 반전한 모양이 반복되도록 빈 곳에 알맞게 색칠하세요.

바로 앞의 모양에서 색칠된 부분은 색을 지우고,
색칠되지 않은 부분은 색칠합니다.

색, 위치, 방향 등이
반대로 되는 것을
반전이라고 해.

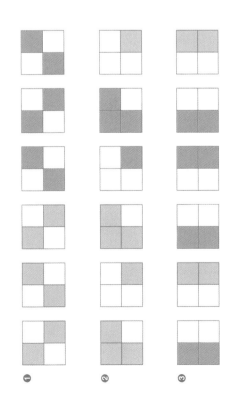

① ② ③

1주차 여러 가지 패턴

DAY 5 패턴 미로

✏️ 가장 빠른 길 미로를 통과하고, 미로를 따라가면서 나오는 패턴의 마디에 ○표 하세요.

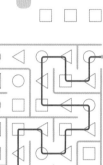

점점 작아지는 패턴이
중요한 응용이죠.

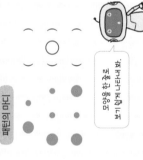

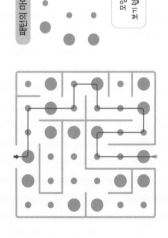

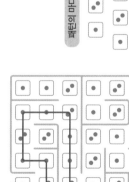

확인학습

1주차

✎ 왼쪽 패턴에 이어서 올 수 있는 것을 찾아 선으로 이으세요.

❶

✎ 가장 빠른 길 미로를 통과하고, 미로를 따라가면서 나오는 패턴의 마디에 ○표 하세요.

❷

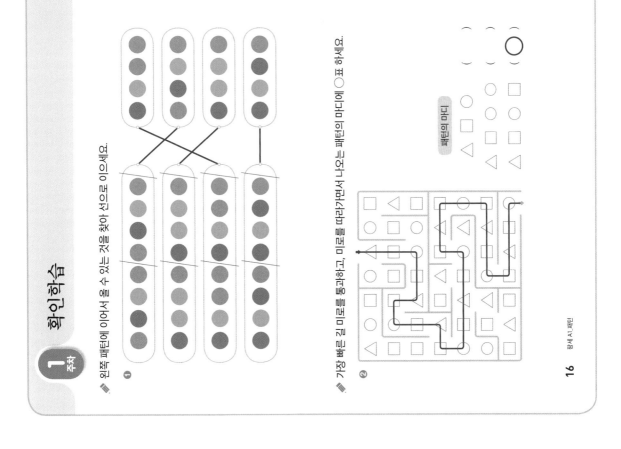

패턴의 마디

16   탐색 A1 패턴

2주차 이중 패턴

DAY 1 이중 패턴

두 가지 규칙이 섞여 있는 패턴을 이중 패턴이라고 합니다. 패턴의 마디를 쓰세요.

> 크기에 대한 규칙, 색깔에 대한 규칙을 따로 생각해야 해.

❶

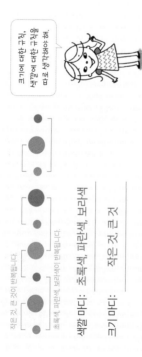

작은 것 큰 것이 반복됩니다.

초록색, 파란색, 보라색이 반복됩니다.

색깔 마디: 초록색, 파란색, 보라색

크기 마디: 작은 것, 큰 것

❷

큰 것, 작은 것, 작은 것이 반복됩니다.

빨간색, 노란색이 반복됩니다.

색깔 마디: 빨간색, 노란색 , 크기 마디: 큰 것, 작은 것, 작은 것

초록색, 빨간색이 반복됩니다.

●, ▲, ■ 모양이 반복됩니다.

색깔 마디: 초록색, 빨간색 , 모양 마디: ●, ▲, ■

③

★, ◆ 모양이 반복됩니다.

노란색, 빨간색, 보라색이 반복됩니다.

색깔 마디: 노란색, 빨간색, 보라색 , 모양 마디: ◆, ★

④

1개, 2개가 반복됩니다.

초록색, 빨간색, 보라색이 반복됩니다.

색깔 마디: 초록색, 빨간색, 보라색 , 개수 마디: 1개, 2개

⑤

△, ○ 모양이 반복됩니다.

3개, 2개, 1개가 반복됩니다.

모양 마디: △, ○ , 개수 마디: 3개, 2개, 1개

⑥

□, ☆ 모양이 반복됩니다.

2개, 2개, 4개가 반복됩니다.

모양 마디: □, ☆ , 개수 마디: 2개, 2개, 4개

DAY 2

모양과 색깔, 크기와 색깔

✎ 규칙을 찾아 빈 곳에 알맞은 모양에 ○표 하세요.

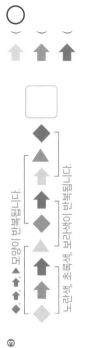

★ 모양이 반복됩니다.
파란색, 초록색, 노란색이 반복됩니다.

> 먼저 모양에 대한 마디, 색깔에 대한 마디를 각각 찾아봐.

❶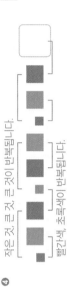

초록색, 보라색, 초록색이 반복됩니다.
★, ♥ 모양이 반복됩니다.

❷

▲, ■, ● 모양이 반복됩니다.
빨간색, 노란색, 초록색, 초록색이 반복됩니다.

❸

▲ 모양이 반복됩니다.
노란색, 초록색, 보라색이 반복됩니다.

❹

작은 것, 큰 것, 큰 것이 반복됩니다.
빨간색, 초록색이 반복됩니다.

❺

큰 것, 큰 것, 작은 것, 작은 것이 반복됩니다.
노란색, 보라색, 빨간색이 반복됩니다.

❻

작은 것, 작은 것, 큰 것이 반복됩니다.
초록색, 파란색, 초록색, 빨간색이 반복됩니다.

2주차 이중 패턴

DAY 3

모양과 개수, 색깔과 개수

✎ 규칙에 맞게 패턴을 완성해 보세요.

모양 마디: ○, △, ☆
개수 마디: 1개, 2개

모양을 한 개씩만 그려 본 후, 개수 규칙에 맞게 더 그려 보는 것은 어떨까?

❶ 모양 마디: □, △
개수 마디: 1개, 2개, 2개

❷ 모양 마디: ☆, △
개수 마디: 3개, 2개, 1개

❸ 모양 마디: ◎, ◇, ▽, ▷
개수 마디: 1개, 2개, 3개

❹ 색깔 마디: 흰색, 보라색
개수 마디: 3개, 2개, 1개

❺ 색깔 마디: 보라색, 보라색, 흰색, 흰색
개수 마디: 1개, 1개, 2개

❻ 색깔 마디: 흰색, 보라색, 흰색
개수 마디: 1개, 2개, 1개, 3개

DAY 4 패턴 만들기

✒️ 규칙에 맞게 패턴을 만들어 보세요.

- 크기는 큰 것, 작은 것이 반복됩니다.
- 색깔은 흰색, 보라색이 반복됩니다.

모양을 가운데로 먼저 패턴을 그려 보자.

①

- 크기는 작은 것 큰 것 큰 것이 반복됩니다.
- 색깔은 보라색, 흰색이 반복됩니다.

②

- 모양은 △, ◇, ○ 모양이 반복됩니다.
- 색깔은 흰색, 보라색이 반복됩니다.

③
- 색깔은 보라색, 흰색, 흰색이 반복됩니다.
- 개수는 1개, 2개가 반복됩니다.

④
- 모양은 ▽, △ 모양이 반복됩니다.
- 개수는 1개, 2개, 3개가 반복됩니다.

⑤
- 모양은 ○, △, ○, □ 모양이 반복됩니다.
- 개수는 1개, 2개가 반복됩니다.

⑥
- 모양은 ☆, ○ 모양이 반복됩니다.
- 크기는 작은 것, 작은 것, 큰 것이 반복됩니다.

pensées

2주차 이중 패턴

DAY 5 빈칸 채우기

✎ 규칙을 찾아 빈 곳에 알맞은 모양에 ○표 하세요.

노란색, 초록색이 반복됩니다.

1개, 2개, 3개가 반복됩니다.

색깔에 대한 마디, 개수에 대한 마디를 각각 찾아봐.

①

작은 것, 큰 것이 반복됩니다.

△, ○, □ 모양이 반복됩니다.

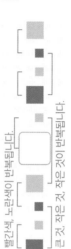

②

★, ●, ★ 모양이 반복됩니다.

빨간색, 빨간색, 초록색, 초록색, 빨간색, 초록색, 초록색이 반복됩니다.

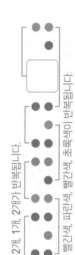

---

③

파란색, 노란색, 보라색이 반복됩니다.

♥, ●, ◆ 모양이 반복됩니다.

④

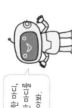

빨간색, 노란색이 반복됩니다.

큰 것, 작은 것 작은 것이 반복됩니다.

⑤

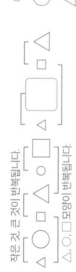

2개, 1개, 2개가 반복됩니다.

빨간색, 파란색, 빨간색, 초록색이 반복됩니다.

⑥

1개, 2개가 반복됩니다.

□, △, △, ○ 모양이 반복됩니다.

확인학습

✏️ 규칙에 맞게 패턴을 만들어 보세요.

① • 모양은 △ □ ○ 모양이 반복됩니다.
• 크기는 작은 것 큰 것이 반복됩니다.

② • 색깔은 보라색, 보라색, 흰색이 반복됩니다.
• 개수는 2개, 1개가 반복됩니다.

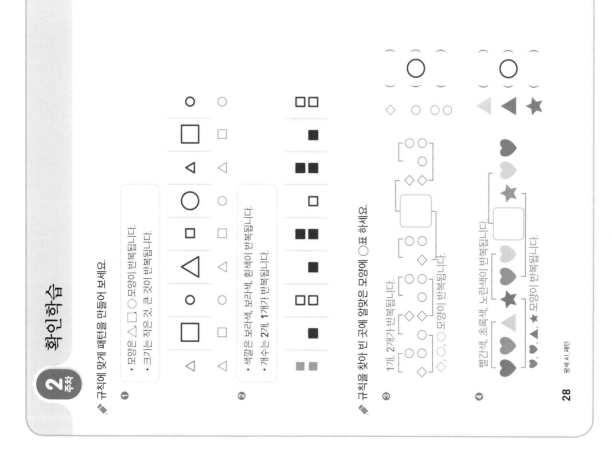

✏️ 규칙을 찾아 빈 곳에 알맞은 모양에 ○표 하세요.

③ 1개, 2개가 반복됩니다.
◇, ○, ○ 모양이 반복됩니다.

④ 빨간색, 초록색, 노란색이 반복됩니다.
♥, ♥, ▲ 모양이 반복됩니다.

문제 A1. 패턴

여러 가지 수열

일정하게 커지는 수열

✎ ☐ 안에 알맞은 수를 써넣고, 올바른 것에 ○표 하세요.

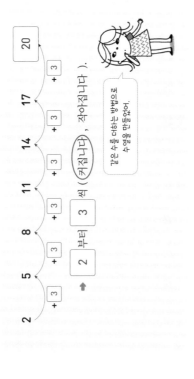

2 부터 3 씩 (**커집니다** , 작아집니다).

2 +3 5 +3 8 +3 11 +3 14 +3 17 +3 20

（말풍선） 같은 수를 더하는 방법으로 수열을 만들었어.

❶ 6 부터 2 씩 (**커집니다** , 작아집니다).

6 +2 8 +2 10 +2 12 +2 14 +2 16 +2 18

❷ 12 부터 1 씩 (커집니다 , **작아집니다**).

12 −1 11 −1 10 −1 9 −1 8 −1 7 −1 6

❸ 13 부터 (**+** , −) 2 , (+ , **−**) 5 을/를 반복합니다.

13 +2 15 −5 10 +2 12 −5 7 +2 9 −5 4 +2 6 −5 1

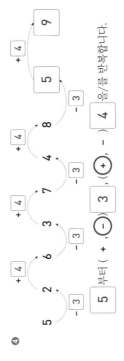

❹ 5 부터 (+ , **−**) 3 , (**+** , −) 4 을/를 반복합니다.

5 −3 2 +4 6 −3 3 +4 7 −3 4 +4 8 −3 5 +4 9

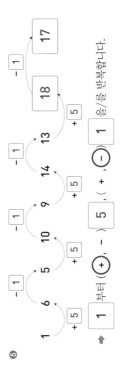

❺ 1 부터 (**+** , −) 5 , (+ , **−**) 1 을/를 반복합니다.

1 +5 6 −1 5 +5 10 −1 9 +5 14 −1 13 +5 18 −1 17

pensées

더하는 수가 커지는 수열

✏️ 빈에 알맞은 수를 써넣으세요.

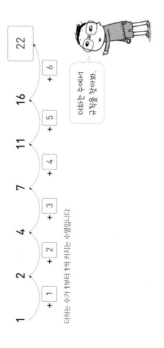

$1 \xrightarrow{+1} 2 \xrightarrow{+2} 4 \xrightarrow{+3} 7 \xrightarrow{+4} 11 \xrightarrow{+5} 16 \xrightarrow{+6} 22$

더하는 수가 1부터 1씩 커지는 수열입니다.

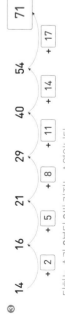 더하는 수에서 규칙을 찾아봐.

❶ $5 \xrightarrow{+2} 7 \xrightarrow{+3} 10 \xrightarrow{+4} 14 \xrightarrow{+5} 19 \xrightarrow{+6} 25 \xrightarrow{+7} 32$

더하는 수가 2부터 1씩 커지는 수열입니다.

❷ $10 \xrightarrow{+1} 11 \xrightarrow{+3} 14 \xrightarrow{+5} 19 \xrightarrow{+7} 26 \xrightarrow{+9} 35 \xrightarrow{+11} 46$

더하는 수가 1부터 2씩 커지는 수열입니다.

❸ $14 \xrightarrow{+2} 16 \xrightarrow{+5} 21 \xrightarrow{+8} 29 \xrightarrow{+11} 40 \xrightarrow{+14} 54 \xrightarrow{+17} 71$

더하는 수가 2부터 3씩 커지는 수열입니다.

❹ $25 \xrightarrow{-1} 24 \xrightarrow{-2} 22 \xrightarrow{-3} 19 \xrightarrow{-4} 15 \xrightarrow{-5} 10 \xrightarrow{-6} 4$

빼는 수가 1부터 1씩 커지는 수열입니다.

❺ $60 \xrightarrow{-2} 58 \xrightarrow{-4} 54 \xrightarrow{-6} 48 \xrightarrow{-8} 40 \xrightarrow{-10} 30 \xrightarrow{-12} 18$

빼는 수가 2부터 2씩 커지는 수열입니다.

❻ $75 \xrightarrow{-4} 71 \xrightarrow{-7} 64 \xrightarrow{-10} 54 \xrightarrow{-13} 41 \xrightarrow{-16} 25 \xrightarrow{-19} 6$

빼는 수가 4부터 3씩 커지는 수열입니다.

❼ $8 \xrightarrow{+6} 14 \xrightarrow{+5} 19 \xrightarrow{+4} 23 \xrightarrow{+3} 26 \xrightarrow{+2} 28 \xrightarrow{+1} 29$

더하는 수가 6부터 1씩 작아지는 수열입니다.

❽ $2 \xrightarrow{+14} 16 \xrightarrow{+12} 28 \xrightarrow{+10} 38 \xrightarrow{+8} 46 \xrightarrow{+6} 52 \xrightarrow{+4} 56$

더하는 수가 14부터 2씩 작아지는 수열입니다.

❾ $30 \xrightarrow{-7} 23 \xrightarrow{-6} 17 \xrightarrow{-5} 12 \xrightarrow{-4} 8 \xrightarrow{-3} 5 \xrightarrow{-2} 3$

빼는 수가 7부터 1씩 작아지는 수열입니다.

DAY 3 수열 만들기

✏️ 규칙에 맞게 수열을 만들어 보세요.

규칙: 5부터 2씩 커집니다.

5	7	9	11	13	15	17

$+2$ $+2$ $+2$ $+2$ $+2$ $+2$

바로 앞의 수에 2를 더해서 만든다는 거지?

① 규칙: 1, 4, 8이 반복됩니다.

1	4	8	1	4	8	1

② 규칙: 10부터 3씩 커집니다.

10	13	16	19	22	25	28

③ 규칙: 20부터 2씩 작아집니다.

20	18	16	14	12	10	8

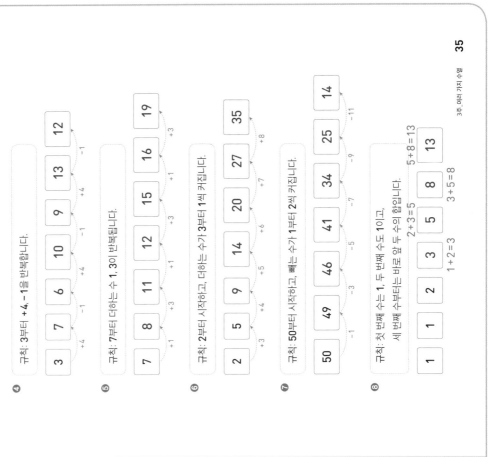

④ 규칙: 3부터 +4, -1을 반복합니다.

3	7	6	10	9	13	12

$+4$ -1 $+4$ -1 $+4$ -1

⑤ 규칙: 7부터 더하는 수 1, 3이 반복됩니다.

7	8	11	12	15	16	19

$+1$ $+3$ $+1$ $+3$ $+1$ $+3$

⑥ 규칙: 2부터 시작하고, 더하는 수가 3부터 1씩 커집니다.

2	5	9	14	20	27	35

$+3$ $+4$ $+5$ $+6$ $+7$ $+8$

⑦ 규칙: 50부터 시작하고, 빼는 수가 1부터 2씩 커집니다.

50	49	46	41	34	25	14

-1 -3 -5 -7 -9 -11

⑧ 규칙: 첫 번째 수는 1, 두 번째 수도 1이고, 세 번째 수부터는 바로 앞 두 수의 합입니다.

1	1	2	3	5	8	13

$1+2=3$ $2+3=5$ $3+5=8$

$5+8=13$

pensées

여러 가지 수열

□ 안에 알맞은 수를 써넣으세요.

① 마디가 반복되는 수열:
1 2 1 2 1 2
→ 1, 2가 반복됩니다.

② 일정하게 커지거나 작아지는 수열
1 3 5 7 9 11 13
→ 1부터 2씩 커집니다.

③ 더하는 수가 커지거나 작아지는 수열
2 4 7 11 16 22 29
→ 더하는 수가 2부터 1씩 커집니다.

④ 바로 앞의 두 수의 합이 다음 수가 되는 수열
1 1 2 3 5 8 13
→ 1+1=2, 1+2=3, 2+3=5 ......

❶ 4 1 7 4 1 [7] 4 1 7
4, 1, 7이 반복됩니다.

❷ 5 8 11 14 [17] 20 23 26
5부터 3씩 커집니다.

❸ 42 38 [34] 30 26 22 18 14
42부터 4씩 작아집니다.

바로 앞의 두 수의 합이 다음 수가 되는 수열을 피보나치 수열이라고 해.

❹ 3 4 7 8 11 12 [15] 16
3부터 시작하여 더하는 수 1, 3이 반복됩니다.

❺ 2 3 6 11 18 [27] 38 51
2부터 시작하고, 더하는 수가 1부터 2씩 커집니다.

❻ 70 68 64 58 [50] 40 28 14
70부터 시작하고, 빼는 수가 2부터 2씩 커집니다.

❼ 4 13 21 28 34 39 [43] 46
4부터 시작하고, 더하는 수가 9부터 1씩 작아집니다.

❽ 1 4 5 9 14 23 [37] 60
첫 번째 수는 1, 두 번째 수는 4이고, 세 번째 수부터는 바로 앞의 두 수의 합입니다.

❾ 2 5 7 12 19 [31] 50 81
첫 번째 수는 2, 두 번째 수는 5이고, 세 번째 수부터는 바로 앞의 두 수의 합입니다.

DAY 5 9번째 수 구하기

◈ 9번째 수를 구하세요.

30 28 26 24 22 20 ...... **14** [9번째]

30부터 2씩 작아집니다.
30, 28, 26, 24, 22, 20, 18, 16, 14이므로 9번째 수는 14입니다.

> 먼저 규칙을 찾고, 규칙에 맞게 수열을 더 적어 봐.

❶ 3 3 9 3 3 9 ...... **9** [9번째]

3, 3, 9가 반복됩니다.
3, 3, 9, 3, 3, 9, 3, 3, 9이므로 9번째 수는 9입니다.

❷ 2 6 10 14 18 22 ...... **34** [9번째]

2부터 4씩 커집니다.
2, 6, 10, 14, 18, 22, 26, 30, 34이므로 9번째 수는 34입니다.

❸ 40 37 34 31 28 25 ...... **16** [9번째]

40부터 3씩 작아집니다.
40, 37, 34, 31, 28, 25, 22, 19, 16이므로 9번째 수는 16입니다.

❹ 5 11 10 16 15 21 ...... **25** [9번째]

5부터 시작하여 +6, -1이 반복됩니다.
5, 11, 10, 16, 15, 21, 20, 26, 25이므로 9번째 수는 25입니다.

❺ 2 5 10 17 26 37 ...... **82** [9번째]

2부터 시작하고, 더하는 수가 3부터 2씩 커집니다.
2, 5, 10, 17, 26, 37, 50, 65, 82이므로 9번째 수는 82입니다.

❻ 3 14 24 33 41 48 ...... **63** [9번째]

3부터 시작하고, 더하는 수가 11부터 1씩 작아집니다.
3, 14, 24, 33, 41, 48, 54, 59, 63이므로 9번째 수는 63입니다.

❼ 90 77 65 54 44 35 ...... **14** [9번째]

90부터 시작하고, 빼는 수가 13부터 1씩 작아집니다.
90, 77, 65, 54, 44, 35, 27, 20, 14이므로 9번째 수는 14입니다.

❽ 2 2 4 6 10 16 ...... **68** [9번째]

첫 번째 수는 2, 두 번째 수도 2이고,
세 번째 수부터는 바로 앞 두 수의 합입니다.
2, 2, 4, 6, 10, 16, 26, 42, 68이므로 9번째 수는 68입니다.

❾ 2 3 5 8 13 21 ...... **89** [9번째]

첫 번째 수는 2, 두 번째 수는 3이고, 세 번째 수부터는 바로 앞 두 수의 합입니다.
2, 3, 5, 8, 13, 21, 34, 55, 89이므로 9번째 수는 89입니다.

확인학습

3 주차

✎ 안에 알맞은 수를 써넣으세요.

① 2 5 8 2 5 8 [2] 5 8
2, 5, 8이 반복됩니다.

② 1 5 9 13 [17] 21 25 29 33
1부터 4씩 커집니다.

③ 4 5 8 13 20 [29] 40 53 68
4부터 시작하고, 더하는 수가 1부터 2씩 커집니다.

④ 1 2 3 5 8 13 21 [34] 55
첫 번째 수는 1, 두 번째 수는 2이고, 세 번째 수부터는 바로 앞 두 수의 합입니다.

✎ 9번째 수를 구하세요.

⑤ 40 38 36 34 32 30 ⋯⋯ [24]
40부터 2씩 작아집니다.
40, 38, 36, 34, 32, 30, 28, 26, 24이므로 9번째 수는 24입니다.
9번째

⑥ 8 12 11 15 14 18 ⋯⋯ [20]
8부터 시작하여 + 4, − 1이 반복됩니다.
8, 12, 11, 15, 14, 18, 17, 21, 20이므로 9번째 수는 20입니다.
9번째

⑦ 70 69 67 64 60 55 ⋯⋯ [34]
70부터 시작하고, 빼는 수가 1부터 1씩 커집니다.
70, 69, 67, 64, 60, 55, 49, 42, 34이므로 9번째 수는 34입니다.
9번째

4주차 개수 규칙

DAY 1

개수의 규칙 찾기

✏️ 규칙을 찾아 ☐ 안에 알맞은 수를 써넣고, 올바른 말에 ○표 하세요.

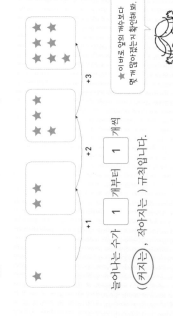

+1 +2 +3

★이 이전 그림의 개수보다 몇 개 많아졌는지 확인해 봐.

늘어나는 수가 1 개부터 1 개씩
(커지는 , 작아지는) 규칙입니다.

①  2 개씩 (늘어나는, 줄어드는) 규칙입니다.

② 1 개씩 (늘어나는, 줄어드는) 규칙입니다.

---

③ 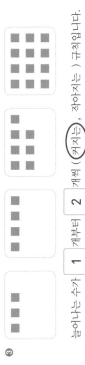 늘어나는 수가 1 개부터 2 개씩 (커지는, 작아지는) 규칙입니다.

④  늘어나는 수가 4 개부터 1 개씩 (커지는, 작아지는) 규칙입니다.

⑤  늘어나는 수가 2 개부터 1 개씩 (커지는, 작아지는) 규칙입니다.

⑥  늘어나는 수가 5 개부터 2 개씩 (커지는, 작아지는) 규칙입니다.

pensées

DAY 2

구슬의 개수

규칙을 찾아 □ 안에 알맞은 구슬의 개수를 쓰세요.

9   7   5   3   1

구슬이 1개부터 2개씩 늘어나고 있습니다.

> 구슬의 개수를 수일로 나타낸 후 몇 개씩 늘어나는지 알아봐.

❶ 10   8   6   4   2

구슬이 2개부터 2개씩 늘어나고 있습니다.

❷ 3   4   5   6   7

구슬이 7개부터 1개씩 줄어들고 있습니다.

❸ 13   10   7   4   1

구슬이 1개부터 3개씩 늘어나고 있습니다.

---

❹ 18   11   6   3   2

바로 앞 구슬의 수에서 1개, 3개, 5개, 7개씩 늘어납니다.

❺ 2   6   9   11   12

바로 앞 구슬의 수에서 1개, 2개, 3개, 4개씩 늘어납니다.

❻ 9   6   4   3

바로 앞 구슬의 수에서 1개, 2개, 3개, 4개씩 늘어납니다.

❼ 5   10   2   1

바로 앞 구슬의 수에서 1개, 3개, 5개, 7개씩 늘어납니다.

❽ 11   7   14   16

바로 앞 구슬의 수에서 2개, 3개, 4개, 5개씩 줄어듭니다.

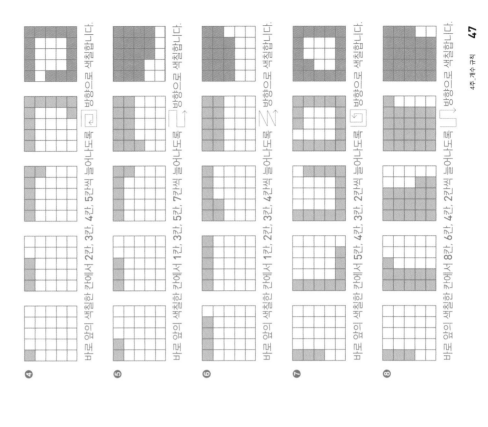

④ 바로 앞의 색칠한 칸에서 2칸, 3칸, 4칸, 5칸씩 늘어나도록 ← 방향으로 색칠합니다.

⑤ 바로 앞의 색칠한 칸에서 1칸, 3칸, 5칸, 7칸씩 늘어나도록 ↗ 방향으로 색칠합니다.

⑥ 바로 앞의 색칠한 칸에서 1칸, 2칸, 3칸, 4칸씩 늘어나도록 ↗ 방향으로 색칠합니다.

⑦ 바로 앞의 색칠한 칸에서 5칸, 4칸, 3칸, 2칸씩 늘어나도록 ← 방향으로 색칠합니다.

⑧ 바로 앞의 색칠한 칸에서 8칸, 6칸, 4칸, 2칸씩 늘어나도록 ↓ 방향으로 색칠합니다.

4주차 개수 규칙

DAY 3

색칠하기

✎ 규칙을 찾아 빈칸에 알맞게 색칠해 보세요.

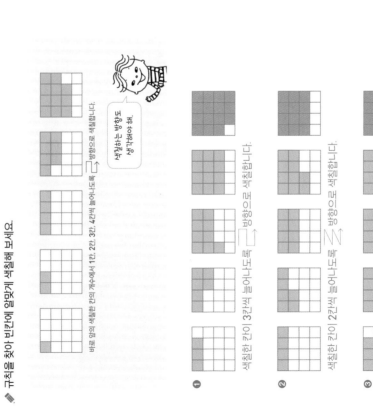

색칠하는 방향도 생각해야 해.

바로 앞의 색칠한 칸의 개수에서 1칸, 2칸, 3칸, 4칸씩 늘어나도록 → 방향으로 색칠합니다.

① 색칠한 칸이 3칸씩 늘어나도록 → 방향으로 색칠합니다.

② 색칠한 칸이 2칸씩 늘어나도록 ↗ 방향으로 색칠합니다.

③ 색칠한 칸이 3칸씩 늘어나도록 ← 방향으로 색칠합니다.

7번째 구슬의 개수

규칙을 찾아 7번째 구슬의 개수를 구하세요.

  22 7번째

구슬의 개수가 1, 2, 4, 7, 11, 16, 22이므로 7번째 구슬은 22개입니다.

 구슬의 개수를 수열로 나타내나.

①  15 7번째
구슬이 2개씩 늘어납니다.
구슬의 수는 3, 5, 7, 9, 11, 13, 15이므로 7번째 구슬은 15개입니다.

②  19 7번째
구슬이 3개씩 늘어납니다.
구슬의 수는 1, 4, 7, 10, 13, 16, 19이므로 7번째 구슬은 19개입니다.

③    3 7번째
구슬이 1개씩 줄어듭니다.
구슬의 수는 9, 8, 7, 6, 5, 4, 3이므로 7번째 구슬은 3개입니다.

④  28 7번째
바로 앞 구슬의 수에서 2개, 3개, 4개 ……씩 늘어납니다.
구슬의 수는 1, 3, 6, 10, 15, 21, 28이므로 7번째 구슬은 28개입니다.

⑤ 41 7번째
바로 앞 구슬의 수에서 1개, 3개, 5개 ……씩 늘어납니다.
구슬의 수는 5, 6, 9, 14, 21, 30, 41이므로 7번째 구슬은 41개입니다.

⑥ 43 7번째
바로 앞 구슬의 수에서 2개, 4개, 6개 ……씩 늘어납니다.
구슬의 수는 1, 3, 7, 13, 21, 31, 43이므로 7번째 구슬은 43개입니다.

⑦  24 7번째
바로 앞 구슬의 수에서 6개, 5개, 4개 ……씩 늘어납니다.
구슬의 수는 3, 9, 14, 18, 21, 23, 24이므로 7번째 구슬은 24개입니다.

⑧   28 7번째
바로 앞 구슬의 수에서 7개, 6개, 5개 ……씩 늘어납니다.
구슬의 수는 1, 8, 14, 19, 23, 26, 28이므로 7번째 구슬은 28개입니다.

DAY 5

두 가지 모양

✏️ 규칙을 찾아 5번째에 알맞은 모양의 개수를 각각 쓰세요.

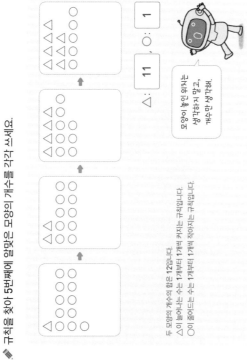

두 모양의 개수의 합은 12입니다.
△이 늘어나는 수는 1개부터 1개씩 커지는 규칙입니다.
○이 줄어드는 수는 1개부터 1개씩 작아지는 규칙입니다.

❶

△: 11, ○: 1

△는 ○보다 2개 많습니다.
△와 ○는 늘어나는 수가 1개부터 1개씩 커지는 규칙입니다.

△: 13, ○: 11

모양이 붙어있는 위치는 생각하지 말고, 개수만 생각해.

---

pensées

❷

△: 15, ○: 1

두 모양의 개수의 합은 16입니다.
△는 늘어나는 수가 2개부터 1개씩 커지는 규칙입니다.
○는 줄어드는 수가 2개부터 1개씩 커지는 규칙입니다.

❸

△는 ○보다 1개 적습니다.
△와 ○는 늘어나는 수가 1개부터 2개씩 커지는 규칙입니다.

△: 17, ○: 18

❹

△: 1, ○: 18

두 모양의 개수의 합은 19입니다.
△는 줄어드는 수가 1개부터 2개씩 커지는 규칙입니다.
○는 늘어나는 수가 1개부터 2개씩 커지는 규칙입니다.

확인학습

① 규칙을 찾아 빈칸에 알맞게 색칠해 보세요.

② 색칠한 칸이 3칸씩 늘어나도록 ↓ 방향으로 색칠합니다.

바로 앞의 색칠한 칸에서 1칸, 3칸, 5칸, 7칸씩 늘어나도록 ↙ 방향으로 색칠합니다.

② 규칙을 찾아 7번째 구슬의 개수를 구하세요.

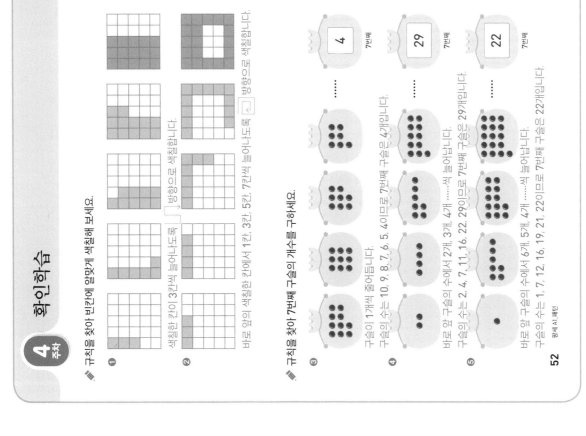

③ 구슬이 1개씩 줄어듭니다.
구슬의 수는 10, 9, 8, 7, 6, 5, 4이므로 7번째 구슬은 4개입니다.

4
7번째

④ 바로 앞 구슬의 수에서 2개, 3개, 4개 ......씩 늘어납니다.
구슬의 수는 2, 4, 7, 11, 16, 22, 29이므로 7번째 구슬은 29개입니다.

29
7번째

⑤ 바로 앞 구슬의 수에서 6개, 5개, 4개 ......씩 늘어납니다.
구슬의 수는 1, 7, 12, 16, 19, 21, 22이므로 7번째 구슬은 22개입니다.

22
7번째

TEST 1

마무리 평가

❖ 규칙을 찾아 빈 곳에 알맞은 모양에 ○표 하세요.

❶

❷

❖ 규칙에 맞게 패턴을 완성해 보세요.

❸ • 색깔 마디: 흰색, 파란색   • 개수 마디: 1개, 2개, 3개

❹ • 모양 마디: ○, □, ▷   • 개수 마디: 3개, 2개, 1개

pensées

제한 시간   15분
맞은 개수   / 9개

❖ 9번째 수를 구하세요.

❺ 4   7   10   13   16   19   ……   28
9번째

4부터 3씩 커집니다.
4, 7, 10, 13, 16, 19, 22, 25, 28이므로 9번째 수는 28입니다.

❻ 3   4   7   12   19   28   ……   67
9번째

3부터 시작하여 더하는 수가 1부터 2씩 커집니다.
3, 4, 7, 12, 19, 28, 39, 52, 67이므로 9번째 수는 67입니다.

❼ 1   4   5   9   14   23   ……   97
9번째

첫 번째 수는 1, 두 번째 수는 4이고, 세 번째 수부터는 바로 앞의 두 수의 합입니다.
1, 4, 5, 9, 14, 23, 37, 60, 97이므로 9번째 수는 97입니다.

❖ 규칙을 찾아 □ 안에 알맞은 수를 써넣고, 올바른 말에 ○표 하세요.

❽ 2 개씩 (늘어나는 , 줄어드는) 규칙입니다.

❾ 늘어나는 수가 1 개부터 2 개씩 (커지는 , 작아지는) 규칙입니다.

TEST 2 마무리 평가

❖ 왼쪽 패턴에 이어서 올 수 있는 것을 찾아 선으로 이으세요.

①

❖ 규칙에 맞게 패턴을 만들어 보세요.

②
· 색깔은 흰색, 흰색, 파란색이 반복됩니다.
· 크기는 작은 것, 큰 것이 반복됩니다.

③
· 색깔은 파란색, 파란색, 흰색이 반복됩니다.
· 개수는 2개, 2개, 1개, 1개가 반복됩니다.

밈새 시 패턴

56

❖ □ 안에 알맞은 수를 써넣으세요.

④ 10　13　16　[19]　22　25　28　31　34

10부터 3씩 커집니다.

⑤ 1　3　7　13　21　[31]　43　57　73

1부터 시작하고, 더하는 수가 2부터 2씩 커집니다.

⑥ 45　44　42　39　35　30　[24]　17　9

45부터 시작하고, 빼는 수가 1부터 1씩 커집니다.

⑦ 3　4　7　11　18　[29]　47　76

첫 번째 수는 3, 두 번째 수는 4이고, 세 번째 수부터는 바로 앞의 두 수의 합입니다.

❖ 규칙을 찾아 □ 안에 알맞은 구슬의 개수를 쓰세요.

⑧ 3　4　5　6　5　[7]

구슬이 3개부터 1개씩 늘어나고 있습니다.

⑨ 11　10　8　[1]

바로 앞의 구슬 수에서 1개, 2개, 3개, 4개씩 줄어듭니다.

⑩ 3　5　[10]　15

바로 앞의 구슬 수에서 2개, 3개, 4개, 5개씩 늘어납니다.

마무리 평가　57

마무리 평가

TEST 3

마무리 평가

❖ 규칙을 찾아 마지막 모양에 알맞은 기호를 써넣으세요.

①

②

ⓒ

ⓔ

❖ 규칙을 찾아 빈 곳에 알맞은 모양에 ○표 하세요.

③ 노란색, 노란색, 초록색, 초록색이 반복됩니다.

큰 것, 큰 것, 작은 것이 반복됩니다.

④ 1개, 2개, 3개가 반복됩니다.

보라색, 빨간색, 노란색, 빨간색이 반복됩니다.

---

pensées
제한 시간 15분
맞은 개수 / 8개

❖ □ 안에 알맞은 수를 써넣고, 올바른 말에 ○표 하세요.

⑤

2 부터 **4** 씩 (커집니다 , 작아집니다).

⑥

15 부터 (+ , -) 1 , (+ , -) 3 을/를 반복합니다.

❖ 규칙을 찾아 빈칸에 알맞게 색칠해 보세요.

⑦ 색칠한 칸이 4칸씩 늘어나도록 ↰ 방향으로 색칠합니다.

⑧ 바로 앞의 색칠한 칸에서 2칸, 3칸, 4칸, 5칸씩 늘어나도록 ⟋⟍ 방향으로 색칠합니다.

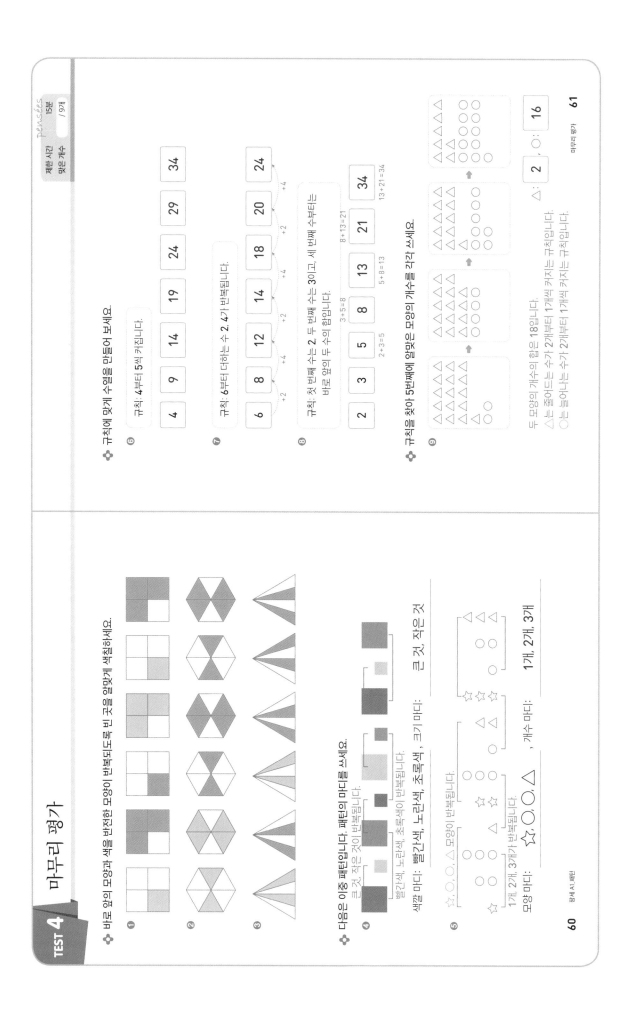

TEST 4

마무리 평가

❖ 바로 앞의 모양과 색을 반전한 모양이 반복되도록 빈 곳을 알맞게 색칠하세요.

❶

❷

❸

❖ 다음은 이중 패턴입니다. 패턴의 마디를 쓰세요.

큰 것, 작은 것

빨간색, 노란색, 초록색이 반복됩니다.

색깔 마디: 빨간색, 노란색, 초록색 , 크기 마디: 큰 것, 작은 것

❹

☆, ○, ○, △ 모양이 반복됩니다.

1개, 2개, 3개가 반복됩니다.

모양 마디: ☆, ○, ○, △ , 개수 마디: 1개, 2개, 3개

❺

60

평세 A1 패턴

Pensées

제한 시간 15분
맞은 개수 / 9개

❖ 규칙에 맞게 수열을 만들어 보세요.

❻ 규칙: 4부터 5씩 커집니다.

| 4 | 9 | 14 | 19 | 24 | 29 | 34 |

❼ 규칙: 6부터 더하는 수 2, 4가 반복됩니다.

| 6 | 8 | 12 | 14 | 18 | 20 | 24 |

+2 +4 +2 +4 +2 +4

❽ 규칙: 첫 번째 수는 2, 두 번째 수는 3이고, 세 번째 수부터는 바로 앞의 두 수의 합입니다.

| 2 | 3 | 5 | 8 | 13 | 21 | 34 |

2+3=5 3+5=8 5+8=13 8+13=21 13+21=34

❖ 규칙을 찾아 5번째에 알맞은 모양의 개수를 각각 쓰세요.

❾

두 모양의 개수의 합은 18입니다.

△는 줄어드는 수가 2개부터 1개씩 커지는 규칙입니다.
○는 늘어나는 수가 2개부터 1개씩 커지는 규칙입니다.

△: 2 , ○: 16

마무리 평가 61

마무리 평가

마무리 평가

❶ 가장 빠른 길로 미로를 통과하고, 미로를 따라가면서 나오는 패턴의 마디에 ○표 하세요.

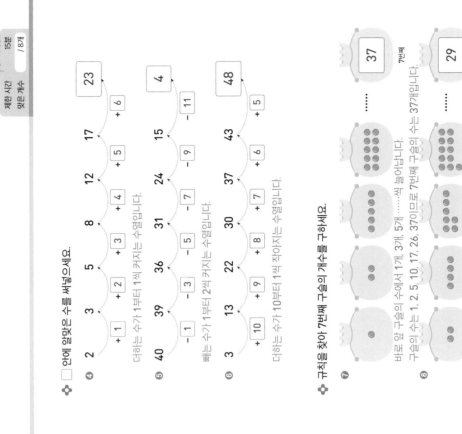

패턴의 마디

❷ 규칙을 찾아 빈 곳에 알맞은 모양에 ○표 하세요.

작은 것, 작은 것, 큰 것, 큰 것이 반복됩니다.

노란색, 보라색, 보라색이 반복됩니다.

❸ ★, ■, ● 모양이 반복됩니다.

빨간색, 파란색, 파란색, 초록색, 파란색이 반복됩니다.

제한 시간 15분
맞은 개수 /8개
pensées

□ 안에 알맞은 수를 써넣으세요.

❹ 2 +1 3 +2 5 +3 8 +4 12 +5 17 +6 23

더하는 수가 1부터 1씩 커지는 수열입니다.

❺ 40 −1 39 −3 36 −5 31 −7 24 −9 15 −11 4

빼는 수가 1부터 2씩 커지는 수열입니다.

❻ 3 +10 13 +9 22 +8 30 +7 37 +6 43 +5 48

더하는 수가 10부터 1씩 작아지는 수열입니다.

❼ 규칙을 찾아 7번째 구슬의 개수를 구하세요.

37 7번째

바로 앞 구슬의 수에서 1개, 3개, 5개 ……씩 늘어납니다.
구슬의 수는 1, 2, 5, 10, 17, 26, 37이므로 7번째 구슬의 수는 37개입니다.

❽

29 7번째

바로 앞 구슬의 수에서 2개, 3개, 4개 ……씩 늘어납니다.
구슬의 수는 2, 4, 7, 11, 16, 22, 29이므로 7번째 구슬의 수는 29개입니다.

pensées

pensées

씨투엠 **지식과상상** since 2013 연구소

교재 소개 및 난이도 안내

＊일부 교재 출시 예정입니다.

	하	중	상

도형

도형 학습 스타트
플라토 6세 ~ 초6

연산

연산의 새로운 기준
칸토의 연산 5세 ~ 초6

연산으로 상위권 점프
응용연산 6세 ~ 초6

서술형 사고력

수학 실력은 결국 독해력
수학독해 6세 ~ 초6

반드시 필요한 사고력만
팡세 6세 ~ 초6

예비 초등 수학

쉽게, 빠르게, 재미있게
구구단

저학년 시간 학습 준비 끝
시계와 달력 5세 ~ 초2

꼭 알아야 할 실생활 수학
길이와 화폐

기초 튼튼, 개념 탄탄
분수

Man is but a reed,
the most feeble thing in nature;
but he is a thinking reed,

"인간은 자연에서 가장 연약한 갈대에 불과하다.
하지만 인간은 생각하는 갈대이다."

Blaise Pascal, 블레즈 파스칼

씨투엠 초등 수학 교구 상자

펜토미노턴

평면 공간감각을 길러주는 회전 펜토미노 퍼즐

초등학생들이 어려워하는 '평면도형의 이동'을 펜토미노와 패턴블록으로 도형을 직접 돌려 보며 재미있게 해결하는 공간감각 퍼즐입니다.

큐브빌드

입체 공간감각을 길러주는 멀티큐브 퍼즐

머릿속으로 그리기 어려운 입체도형을 쌓기나무와 멀티큐브를 이용하여 직접 만들어 위, 앞, 옆 모양을 관찰하고, 다양한 입체 모양을 만드는 공간감각 퍼즐입니다.

폴리탄

도형 감각을 길러주는 입체 칠교 퍼즐

정사각형을 7조각으로 자른 '입체 칠교'와 직각이등변삼각형을 붙인 '입체 볼로'를 활용하여 평면뿐만 아니라 다양한 입체도형 문제를 해결하는 퍼즐입니다.

트랜스넘버

자유자재로 식을 만드는 멀티 숫자 퍼즐

자유자재로 식을 만들고 이를 변형, 응용하는 활동을 통해 연산 원리와 연산감각을 길러주는 멀티 숫자 퍼즐입니다.

머긴스빙고

수 감각을 길러주는 창의 연산 보드 게임

빙고 게임과 머긴스 게임을 활용하여 수 감각과 연산 능력을 끌어올리고 전략적 사고를 키우는 사고력 보드 게임입니다.

폴리스퀘어

공간감각을 길러주는 입체 폴리오미노 보드 게임

모노미노부터 펜토미노까지의 폴리오미노를 이용하여 다양한 모양을 만들어 보고, 여러 가지 땅따먹기 게임 등을 통해 공간감각을 기를 수 있는 보드 게임입니다.

큐보이드

입체를 펼치고 접는 전개도 퍼즐

여러 가지 모양의 면을 자유롭게 연결하여 접었다 펼치는 활동을 통해 정육면체, 직육면체 전개도의 모든 것을 알아보는 전개도 퍼즐입니다.